THAÏLANDE

ÉDITIONS TIME-LIFE · AMSTERDAM

LES GRANDES TRADITIONS CULINAIRES

THAÏLANDE

THIDAVADEE CAMSONG

Le pays et les gens...
Toutes les grandes recettes
Photos des recettes: Foodphotography Eising

SOMMAIRE

LA THAÏLANDE, ROYAUME DES SAVEURS

A la plupart des gourmets, quel que soit leur pays d'origine, la simple évocation de la Thaïlande fait venir l'eau à la bouche. Ce nom est pour eux synonyme de plaisir du palais. En Thaïlande, il est vrai, narines et papilles sont en constant éveil. Partout et tout au long

de la journée, on cuisine: dans les rues, à même le trottoir ou sur les étals des marchands ambulants, sur les marchés flottants, notamment dans les jonques illuminées qui font office de restaurants improvisés, dans les cuisines des hôtels de luxe, etc., bref, quel que soit le lieu — de la grande place à ciel ouvert au minuscule réduit caché — on cuisine, on grille, on flambe, on frit... Dans tous les coins du pays, à toute heure de la journée, des multitudes de cuisinières préparent avec amour, avec un soin extrême, et toujours avec des produits d'une très grande fraîcheur, des mets tous plus succulents les uns que les autres — même les fins connaisseurs de cuisine thaïlandaise vont généralement de surprise en surprise (ingrédients et modes de préparation sont si divers que déguster un plat thaïlandais est, chaque fois, une expérience). Dans la chaude atmosphère tropicale flottent partout les arômes des nombreuses herbes et épices qui entrent dans la préparation de ces plats: coriandre, basilic, feuilles de citronnier, piments, menthe, gingembre, etc.

La cuisine thaïlandaise est l'une des meilleures du monde — «la» meilleure du monde, selon ses *aficionados*. L'éventail des plats et des goûts y est étonnant. La Thaïlande, terre fertile s'il en est, au climat tropical propice, regorge de fabuleuses richesses naturelles: légumes, fruits, aromates, etc. Ananas, bananes, noix de coco, piments, gingembre — pour n'en citer que quelques-uns — y offrent toute l'étendue de leurs nombreuses variétés. Les Thaïs sont de vrais gourmets, ils apprécient la bonne chère et excellent dans l'art de décrire inlassablement le menu ou le plat qu'ils viennent de déguster ou la meilleure manière

d'accommoder un ingrédient. Une fois le thème épuisé, on aborde celui du prochain repas. En Thaïlande, on ne mange pas «pour se nourrir», l'art de la table est un élément de la culture du pays, fait partie d'un art de vivre qui, tout au long des siècles, y a gagné en raffinement. Il est l'un des éléments du *sanuk* — terme omniprésent dans la vie thaïlandaise, que l'on peut traduire par «plaisir».

Les Thaïlandais dégustent en général cette merveilleuse cuisine autour de grandes tables rondes, en se servant non pas de baguettes mais d'une cuiller et d'une fourchette, les couteaux sont inutiles, les ingrédients étant découpés en tout petits morceaux. Les Thaïs aiment les plats très relevés, mais font preuve d'une grande souplesse quant à l'utilisation des épices. (Dans cet ouvrage, les quantités ont été adaptées au goût européen.)

Ce volume, dont le but est de vous faire connaître et aimer le monde merveilleux de la Thaïlande et de sa cuisine exotique, vous parle, dans son premier chapitre, du pays, des habitants et de la vie des régions. Les chapitres suivants vous proposent des recettes, toutes authentiques et originales. Elles sont expliquées très clairement et de façon pratique, étape par étape. Chaque recette est accompagnée de notes, de suggestions de variantes et, bien sûr, d'informations sur les principaux ingrédients utilisés. À la fin de l'ouvrage, des menus types reflétant les habitudes du pays dans différentes circonstances — repas de famille, fêtes, buffets, etc. — vous aideront à concevoir un repas thaïlandais. Un glossaire reprend les principaux termes et ingrédients. Alors, laissez-vous entraîner au cœur de la Thaïlande, le pays des parfums, des couleurs et... des plaisirs culinaires!

LE PAYS ET LES GENS...

Bien qu'aujourd'hui à quelques heures d'avion de nos pays, la Thaïlande, ancien royaume de Siam, située dans la lointaine Asie du Sud-Est, continue d'enflammer l'imagination des Européens. Mais où donc réside le secret de cette magie? Tient-elle à l'ancienneté de la culture? À la munificence des temples et au sourire des bouddhas? Aux fleurs de lotus brillant au clair de lune? Aux ruines mystérieuses? Aux miroirs des rizières? Au charme de la jungle peuplée de singes, d'éléphants, d'ours et de tigres? Ou bien l'enchantement naît-il de l'accumulation de toutes ces merveilles? Une seule chose est sûre: nul ne résiste entièrement au charme très puissant de ce pays!

Le royaume de la Thaïlande s'étend sur une surface de 513 000 kilomètres carrés et rappelle, par sa forme, une tête d'éléphant vue de profil, dont la trompe serait la longue péninsule du Sud. Quelque 56 millions de personnes vivent sur cette terre. La Thaïlande a pour voisins la Birmanie (Union Myanmar), à l'ouest et au nord-ouest, le Laos, au nord, le Cambodge, à l'est, et la Malaisie, au sud. Au centre du pays s'étend la plaine du fleuve Chao Phraya, fermée, au nord et à l'ouest, par des collines et des montagnes. Si le nord-est du pays est aride et pauvre, la presqu'île du Sud, en revanche, déploie toute l'opulence de la végétation tropicale. La Thaïlande connaît trois saisons: une saison chaude, de mars à mai, une saison humide, de juin à octobre, et ensuite une saison sèche et tempérée, jusqu'en février — c'est le moment où les touristes européens affluent. Le caractère unique des Thaïs s'enracine dans une tradition vieille de 700 ans, liée à la spiritualité bouddhiste, et se traduit notamment par un respect inconditionnel pour la personne du roi. Cette réalité s'exprime à chaque instant de la vie, au travers des nombreuses cérémonies et des fêtes royales et religieuses qui se déroulent dans la plus grande liesse. Leur attachement à la tradition apparaît tant dans le soin extrême que les Thais apportent à l'entretien de leurs monuments que dans leur style de vie. Pourtant, les Thaïs sont capables d'adaptation. Ils n'ont repoussé les influences culturelles ou culinaires ni des Malais, ni des Chinois, ni des Indiens, ni des Indonésiens, ni même des Portugais. C'est ainsi qu'en Thaïlande, depuis des générations, l'art culinaire a subtilement intégré les apports extérieurs pour créer l'une des plus grandes cuisines du monde.

Un charme très particulier se dégage des ruines de l'ancien palais royal de Sukôthaï.

La Terre des hommes libres

Les premières principautés thaïes furent fondées au IXe siècle, au nord du pays, par des immigrants venus de Chine. Les peuples thaïs migrèrent ensuite vers le sud, où ils occupèrent de vastes territoires et s'intégrèrent aux populations résidentes — Mons, Lawas et Khmers. Ils adoptèrent la religion, la culture et les méthodes d'administration de ces civilisations déjà très développées. En 1238, ils conquirent le Sukôthaï et fondèrent le premier royaume thaï. Au cours des décennies qui suivirent, le Sukôthaï étendit son pouvoir à presque toute la Thaïlande actuelle. Au XIVe siècle, la ville d'Ayutthaya passa au rang de capitale et le royaume de Siam, nouveau nom du pays, devint l'État le plus puissant du Sud-Est asiatique.

Au cours des siècles suivants, le Siam a beaucoup guerroyé, mais sa grande habileté diplomatique et stratégique l'a préservé de la conquête ou de la colonisation par les Européens. Il est le seul pays de toute l'Asie du Sud-Est à pouvoir revendiquer quelque sept siècles d'indépendance, caractère que les Thaïs d'aujourd'hui soulignent avec fierté. En 1939, le royaume de Siam a officiellement pris le nom de Thaïlande, *Muang Thai* dans la langue du pays, c'est-à-dire «Terre des hommes libres».

Les Thaïs n'ont jamais été très rebelles aux influences extérieures. Ils se sont ouverts aux cultures étrangères dont ils ont prudemment adopté certains éléments qu'ils ont intégrés à leur mode de vie. La culture thaïlandaise est une mosaïque multicolore, faite de nombreuses pierres. L'influence de la

Chine et de l'Inde est particulièrement visible dans l'art — toute œuvre ou représentation y repose sur des traditions religieuses. La très grande majorité (environ 95 %) des Thaïs sont bouddhistes, et l'autorité religieuse est exercée par le roi — les Thaïs en sont, du fait de leur vénération pour ce dernier, d'autant plus attachés à leur religion qui ne semble pas leur peser mais, bien au contraire, donner à leur vie une sorte de légèreté. Les Thaïs sont polis, accueillants et joyeux; leur générosité est proverbiale — ils considèrent l'avarice comme le pire des défauts. Au sommet de leur vie, ils placent le *sanuk*, le plaisir, et ne se préoccupent ni d'avenir lointain ni de carrière. C'est ce qui explique, en grande partie, la place de la nourriture dans leur culture: la bonne chère n'y remplit pas seulement l'estomac, elle réjouit l'âme. Elle est aussi le thème de longues et brillantes conversations. Des manuscrits du XIIᵉ siècle le prouvent: la nourriture n'a jamais manqué dans le pays — «... les rivières regorgent de poisson et le riz pousse hardiment dans les champs». Sa prospérité, le pays la doit aux riches alluvions du fleuve Chao Phraya, qui coule au cœur du pays thaï, inondant les rizières et arrosant les plantations d'agrumes et de légumes.

La cuisine thaïe a, comme sa culture, subi diverses influences — notamment celles des Chinois, des Malais, des Indonésiens et des Indiens qui lui ont fourni ingrédients et recettes. Le riz, base de la vie et de l'alimentation thaïlandaises, a fourni à la langue le mot «manger», dont la traduction littérale est «prendre du riz». On ne saurait imaginer langue plus transparente!

Le riz se trouve au centre de chaque repas, et peut même constituer un repas à lui seul, tout juste assaisonné de *nam pla*, la sauce de poisson nationale. Un Thaï peut, au cours de la même journée, ingurgiter des tonnes de choses — nouilles, légumes, fruits, poisson, brochettes de viande, etc. — puis prétendre, le soir venu, qu'il n'a rien dans l'estomac. C'est qu'il lui manque tout simplement sa portion quotidienne de riz — la base indispensable de son alimentation.

Ce vieil homme est venu jusqu'à Bangkok afin de célébrer l'anniversaire du roi, qui se fête le 5 décembre.

Le temple Wat Doi Suthap, qui abrite plusieurs statues du Bouddha, est l'emblème de la ville de Chiang-mai.

Vendeurs de chou au parc Do Inthanon de Chiang-mai.

Une cuisine raffinée et variée

En Thaïlande, le principal repas de la journée se prend le soir. Il n'est pas composé, comme en Europe, de plats servis dans un ordre précis; tous les mets sont posés sur la table au même moment, afin que chacun puisse faire son choix en fonction de ses goûts. Le nombre et la variété des plats sont un sujet d'étonnement pour les étrangers. Le critère qui préside à leur choix est en effet la diversité, laquelle trahit clairement l'influence chinoise. En même temps qu'un plat léger, on servira une préparation épicée, en même temps qu'un aliment croquant une boisson, en même temps qu'un mets cuit à la vapeur un autre grillé, et ainsi de suite. Ingrédients et couleurs devront également être aussi nombreux que possible: le poisson accompagnera la viande, les légumes la volaille, etc. Et au milieu de la table trônera

invariablement un grand plat de riz fumant. Le bouddhisme interdit aux Thaïs de tuer les animaux et, s'ils aiment consommer de la viande, ces fervents religieux ne trahissent pas volontiers les préceptes qu'on leur a inculqués; alors, leurs bouchers sont musulmans ou chinois. Les légumes, toujours très frais, sont cuits dans le *wok*, sorte de poêle à fond arrondi d'origine chinoise, juste avant d'être consommés. Ainsi restent-ils croquants et conservent-ils leurs couleurs, leurs formes, leur arôme et leurs vitamines. Autour d'une table thaïlandaise, l'œil trouve son compte, tout autant que les narines et les papilles. Dans le sud du pays, on prépare le *curry* au lait de coco, pour atténuer la force du piment et donner du velouté à la sauce. Parmi les autres ingrédients indispensables à la cuisine thaïlandaise, citons la citronnelle, les feuilles de citronnier, la sauce de poisson et la sauce d'huîtres,

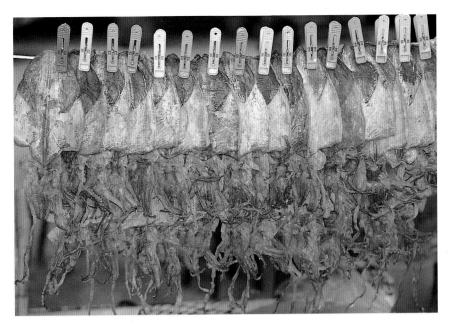

la pâte de crevettes et un incroyable éventail de piments de toutes tailles, couleurs et forces. Certaines recettes thaïlandaises, très populaires, se préparent dans tout le royaume — c'est le cas du *Tom Yam Gung* (soupe piquante aux crevettes, *page 56*), du *Pad Thai Gung Sott* (nouilles de riz sautées, *page 87*) et du *Yam Nua* (salade de bœuf à la coriandre, *page 89*) — mais chacune des quatre grandes régions du pays possède également ses spécialités et ses traditions. Les Thaïs du Nord aiment les *nems*. Dans le Nord-Est, le riz gluant est le plus souvent accompagné de volaille, de poisson ou de *Somm Tamm Thai* — une salade très épicée à base de papaye, de jus de limette (sorte de citron vert très juteux), de sauce de poisson, d'ail et de petits piments *(page 92)*. Les Thaïs de Bangkok et de la région du Centre aiment les *curries* très relevés préparés avec du lait de coco. Dans la cuisine du Sud, l'abondance du poisson et des fruits de mer est incroyable — il faut dire que la côte thaïlandaise, particulièrement longue, en regorge. Le point commun à toutes les cuisines régionales du pays, c'est l'infime quantité de matières grasses utilisée, ainsi que la relative rareté de la viande. Les Thaïlandais sont aussi des adeptes de la cuisine rapide. Ils consomment souvent leurs légumes crus, ou très peu cuits, simplement accompagnés d'une bouillie de crevettes *(page 35)*; ces repas-éclair, faciles à préparer n'importe où et n'importe quand, ont le mérite de varier tout au long de l'année en fonction des saisons. Dans les villes, on ne prend son petit déjeuner que plusieurs heures après s'être levé: c'est généralement un délicieux en-cas que

l'on achète à l'un des nombreux marchands ambulants qui proposent nouilles ou soupes à tous les coins de rues. Le repas de midi, souvent composé de riz ou d'un *curry*, se prend, lui aussi, à l'extérieur. En revanche, le soir, les Thaïs dînent tranquillement en famille. Ils s'accordent alors le temps de savourer leurs mets tout en discutant. Très rares sont les occasions d'aller au restaurant; mais, quand c'est le cas, les Thaïs choisissent de se régaler en plein air. À Bangkok, certains restaurants à ciel ouvert ont des dimensions telles que les serveurs s'y déplacent en patins à roulettes.

Ces calamars ont été suspendus à un fil pour mieux sécher. Ils seront ensuite grillés sur place et vendus comme en-cas.

Les marchés de Bangkok regorgent de poissons.

À tout moment de la journée, à tous les coins de rues, des marchands ambulants vendent, sur de grands plateaux, toutes sortes de délicieuses brochettes.

Le goût du ramboutan, fruit hérissé de piquants, rappelle celui du litchi.

La convivialité thaïlandaise

Les invitations formelles à une table thaïlandaise sont extrêmement rares. En revanche, les amis et connaissances qui «passent par là» pour dire bonjour ou échanger des nouvelles sont, en général, retenus à dîner — chaque jour, la maîtresse de maison met à cuire une quantité de riz nettement supérieure à ce qui est nécessaire pour la seule famille...; si aucun visiteur ne se présente, le surplus sera consommé le lendemain. Chaque fois que cela est possible, chacun des convives prend une douche juste avant le repas — la propreté est, chez les Thaïs, un devoir religieux — et, dans tous les cas, on se lave très soigneusement les mains. Aucune règle stricte ne s'applique quant à la façon de placer les invités et, souvent, il n'y a ni table ni chaises, juste une grande natte ou un tapis posés à même le sol. On s'assied aussi par terre, tout autour de la natte, les hommes en tailleur, les femmes les

jambes repliées de côté — les règles de politesse exigent que tous cachent leurs pieds. La maîtresse de maison pose les assiettes, les fourchettes, les cuillers et les plats sur la natte, un peu au hasard. Tous les mets — *curries,* plats de légumes, de viande, de poisson et de volaille — sont servis en même temps; seul le dessert est apporté à la fin du repas — il s'agit en général d'un fruit frais de saison ou de pâtisseries à base de farine de riz, de lait de coco et de riz gluant. Le repas commence par un grand verre d'eau fraîche, puis invités et membres de la famille se servent dans les plats, au gré de leurs préférences. Chacun goûte un mets ou deux, se ressert, en essaie un autre, et ainsi de suite, jusqu'à satiété. Au cours du repas, on boit de préférence de l'eau fraîche, parfois avec des glaçons. Certains préfèrent cependant une bière, fraîche elle aussi, ou du whisky thaï. Les amateurs de vin ont le choix entre les vins importés, très coûteux, et les vins

doux thaïlandais. Avant que, pour copier les Européens, les Thaïlandais n'aient, au XIXᵉ siècle, adopté la cuiller et la fourchette, ils mangeaient avec leurs doigts, ceux de la main droite (la gauche étant considérée comme impure): la technique consistait à prendre du riz du bout des doigts, à en confectionner de petites boulettes et à les tremper dans la sauce et dans les différents plats. Cette façon de manger est encore largement répandue dans le nord et le nord-est de la Thaïlande, ainsi que dans la plupart des régions rurales. Le riz gluant est, bien sûr, particulièrement bien adapté à cette manière de faire, car il permet de confectionner des boulettes collantes, qui ne s'émiettent pas. Dans bien des restaurants thaïs, il reste possible, aujourd'hui, de manger avec les doigts — les étrangers se doivent d'essayer au moins une fois: ça n'est pas aussi

facile qu'on pourrait le croire et, en général, ça amuse beaucoup... ceux qui assistent à la démonstration! Dans de nombreux restaurants, pourtant, on mange désormais à l'européenne, avec des couverts, les baguettes chinoises étant réservées aux plats de pâtes et aux soupes aux nouilles.

*Les **étals des rues de Bangkok**, parés de leurs mille couleurs, proposent au chaland thaï leurs spécialités odorantes.*

*Les **femmes thaïlandaises** préparent les repas sur des nattes, à même le sol.*

Les villages montagnards du Nord ont, loin de l'agitation de la capitale, conservé leurs traditions culturelles ancestrales.

Les femmes Karen portent leurs bébés sur le dos — ce qui leur permet de s'adonner à leurs activités.

Le Nord et Chiang-mai

Depuis 1921, une ligne de chemin de fer remonte vers le nord, jusqu'à Chiang-mai, et des routes ont été construites pour accéder aux régions les plus septentrionales. Auparavant, le Nord était quasi inaccessible. C'est ce qui explique que ses particularités culturelles, et notamment ses traditions culinaires, aient été si bien préservées — les autochtones y parlent un dialecte, ce qui ne les empêche pas d'être courtois, et même chaleureux, avec les étrangers. Les montagnes du Nord — il s'agit des contreforts de l'Himalaya qui s'étendent dans le sens nord-sud — sont couvertes de forêts. Leur sommet le plus élevé, le Doi Inthanon, culmine à 2 590 mètres. Le centre de la région est occupé par Chiang-mai, petite ville tranquille de 350 000 habitants, située au pied d'une montagne et offrant un agréable contraste avec la trépidante capitale. Chiang-mai possède un riche héritage historique — elle a été la capitale du royaume de Lanna et en son centre ont survécu de nombreux monuments datant de cette grande époque. Il faut absolument visiter les temples Wat Phra Singh, au centre, Wat Chedi Luang, à l'est, et Wat Doi Suthap, l'emblème de la ville, situé hors de ses murs. Le soir, une promenade dans le marché nocturne, pour découvrir les produits de l'artisanat local, s'impose. Les artisans du Nord cisèlent de superbes bracelets d'argent, peignent des éventails de papier et des étoffes de soie raffinées et sculptent de ravissants objets en tek. Un vrai paradis pour chineur! La cuisine du Nord est assez particulière. On y préfère le riz gluant cuit à la vapeur au riz parfumé. Les *curries* de la région sont plutôt doux et on y trouve quelques spécialités étonnantes, tels les cigales grillées ou le placenta de vache. Ses habitants raffolent également d'un grand insecte d'eau qu'ils broient dans un mortier pour que s'en dégage l'arôme très spécial qui parfume leurs plats. Les jours de fête, certains montagnards se délectent de la viande d'un chien ressemblant au chow-chow, dont ils sont très friands. Le nom du repas traditionnel de la région est *kantoke* (*kan* signifie «bol» et *toke* désigne les petites tables basses décorées de bambou tressé et laquées de rouge que produit leur artisanat). Les invités s'assoient à même le sol, autour de la petite table. On leur sert du riz gluant, des *curries,* un plat de viande hachée, une salade, des légumes et, bien sûr, de nombreuses sauces. Des danseurs de la région, en costume traditionnel, viennent animer le repas — ils exécutent, entre autres, la danse du sabre et celle des bougies. À l'extrême nord vit un peuple de montagnards, dont certains sont des nomades qui voyagent de pays en pays et d'autres des sédentaires qui n'ont longtemps que cultivé le pavot et récolté l'opium. Ils cultivent également, depuis peu, le café, les pêches, les asperges et les haricots rouges — d'où de nouvelles perspectives économiques pour leur région. Les festivités du nord de la Thaïlande comptent parmi les plus pittoresques du pays. Tous les Thaïs ont le sens de la fête, mais, dans le Nord, ils y mettent un génie particulier. L'un des défilés thaïs les plus hauts en couleur est celui de la fête des fleurs, à Chiang-mai, en février: des chars magnifiquement décorés de centaines de milliers de fleurs sont promenés dans les rues de la ville. Le nouvel an bouddhiste, *Song Khran*, est célébré du 13 au 15 avril et, à Chiang-mai, il est l'occasion d'un déploiement de faste tout à fait spécial. Les habitants le

fêtent en s'aspergeant mutuellement d'eau bénite — plus on utilise d'eau, plus l'année sera riche en pluies. Lors des réjouissances de *Zum Yi Peng Loy Krathong*, en novembre, on lâche dans le ciel de Chiang-mai des ballons ayant pour mission d'emporter au loin tous les soucis des hommes...

Intrigués et amusés, ces enfants thaïs observent leur photographe.

Les éléphants dressés ne sont mis au travail que lorsqu'ils atteignent l'âge de trois ans.

Le parc national Khao-Yaï, une réserve naturelle de 2 200 kilomètres carrés, est situé en plein cœur d'une région montagneuse.

La tradition khmère

Le Nord-Est est considéré comme la région la plus traditionaliste et la plus pauvre de la Thaïlande. En certains endroits de cette terre particulièrement déshéritée, les infrastructures sont à peine existantes. Le sol du plateau de Korat, sur lequel sévit la sécheresse, est, la plupart du temps, impropre à la culture. Les récoltes suffisent à peine à nourrir les seuls paysans. Mais, lorsque la pluie arrive sur le l'I-San (nom officiel du Nord-Est), un véritable déluge s'abat sur la région, emportant tout sur son passage et provoquant de graves inondations — le Mékong, fleuve frontière avec le Laos, sort alors de son lit et s'enfle de manière spectaculaire. La création récente d'infrastructures — l'aménagement de lacs de retenue, par exemple — a, certes, amélioré la situation, mais les besoins de la population sont encore loin d'être satisfaits. Nombreux sont les habitants du Nord-Est qui émigrent vers Bangkok, où ils espèrent faire survivre leur famille en devenant chauffeurs de taxi ou ouvriers du bâtiment. Aux IXe et Xe siècles, l'I-San présentait un visage bien différent. C'était une région entièrement boisée et un pôle important de la culture khmère. Certains témoins de cette époque sont parvenus jusqu'à la nôtre. Ainsi du temple de Phimaï, l'un des plus merveilleux monuments de l'architecture khmère classique du XIe siècle, et d'une trentaine d'autres lieux qui immortalisent le faste de cette culture. Conséquence de la fréquence des disettes qui affament le Nord-Est, sa population est capable d'ingurgiter à peu près tout ce que la terre porte, y compris les asticots ou les sauterelles — qu'elle fait griller — les lézards, les œufs de fourmis grillés et les escargots — ingrédient de base de certains *curries*. L'I-San possède aussi des spécialités absolument délicieuses, qui figurent aujourd'hui à la carte des meilleurs restaurants du pays. Le riz gluant est à la base de la cuisine du Nord-Est. La viande y est rare; elle est remplacée par la chair des poissons d'eau douce. La plupart des plats sont extrêmement épicés — certaines

Ce petit garçon se fait conduire dans les rues de Nong Khai, une ville située sur le Mékong.

mauvaises langues prétendent que c'est le goût du piment qui rend les aliments de la région à peu près comestibles. L'économie du Nord-Est repose quasi exclusivement sur l'agriculture. Sa population, peu ouverte aux influences modernes, vit de façon très rustique, au rythme des saisons. En dépit de l'adversité, les habitants de la région aiment la vie et manifestent une grande chaleur vis-à-vis des étrangers. Leurs traditions culturelles et leur folklore — fêtes, musique, danses — sont toujours vivaces et quasiment inchangés depuis des temps très anciens. Les jours fériés ponctuent de pauses salutaires la vie de dur labeur qui constitue leur pain quotidien. Chaque année, le second week-end de mai, à Yasothon, on célèbre la fête des fusées, ou *Bun Bong Fai,* en hommage au dieu de la pluie, que l'on prie de rendre la terre fertile — tout en appelant des pluies

abondantes, les Thaïs lancent vers le ciel des fusées de fabrication artisanale pouvant atteindre neuf mètres de long; les habitants de la région travaillent toute l'année à leur fabrication, au nom du simple plaisir *(sanuk).* Lors de la pleine lune de juillet, la ville de Nong Khai, sur le Mékong, entre en liesse, et diverses courses de bateaux sont organisées. En novembre, la fameuse parade des éléphants de Surin attire une immense foule de visiteurs. Dans le Nord-Est, les éléphants ont conservé un rôle important et le pittoresque défilé de Surin réunit chaque année l'ensemble des quelque 200 pachydermes de la région, magnifiquement parés, venus faire la démonstration de leurs talents et de leur habileté tant au travail qu'au jeu. Autres célébrations importantes: la fête de la soie, en novembre, et le grand marché annuel de Khon Khaen.

*Dans le parc de Wat Kuk,
non loin de Nong Khai,
on peut admirer des statues
bouddhistes et hindouistes.*

Le pénible repiquage du riz.

Bangkok et le Centre

Dans les maisons sur pilotis situées le long du fleuve Chao Phraya vit la frange la plus pauvre de la population (en haut à droite).

Le dourian, garni de piquants, est, pour les Thaïs, la «reine des fruits» (en bas à droite).

Le centre de la Thaïlande en est aussi le pôle économique. Sa terre est fertile et sa population dense. Le niveau de son industrialisation est élevé et ses infrastructures très développées. Bangkok, capitale de la Thaïlande et porte ouverte sur le reste du monde, a été fondée en l'année 1782, par le roi Rama Ier. Depuis lors, ce véritable creuset allie modernisme et tradition de la manière la plus étrange: bâtisses à perte de vue, gratte-ciel d'acier et de béton en cours de construction, sans compter les millions de motocyclettes, triporteurs, voitures et autobus évoluant dans une ambiance survoltée, à une moyenne de 5 km/h; bref, un chaos indescriptible en plein milieu de la nature qui se trouve à deux pas. Cet aspect de Bangkok, qui frappe le voyageur dès son arrivée, ne constitue pourtant que l'une des multiples facettes de la capitale. La ville compte, par exemple, plus de 400 temples qui, en plus de l'attraction grandiose qu'ils représentent pour les touristes, sont de véritables oasis de paix où les moines viennent, habillés de safran, accomplir leurs devoirs religieux. Bangkok est, de surcroît, le siège du gouvernement et de l'administration thaïlandais, ainsi que le lieu de résidence de la famille royale — son fameux palais s'étend sur un territoire de 400 x 500 mètres. Quant au magnifique périmètre sacré du Wat Phra Keo, dont le nom signifie «cloître du bouddha d'émeraude», il offre à qui veut le voir la splendeur de ses innombrables temples, galeries, colonnes, statues du Bouddha et autres représentations de divinités. Le foisonnement de Bangkok se traduit

également dans le domaine culinaire. Tous les produits du pays s'étalent, disposés avec amour et fantaisie, le long des nombreux marchés de la ville où une population colorée s'agite joyeusement. Les épices y abondent et tout visiteur occidental en découvre une multitude dont il ne soupçonnait même pas l'existence. Les fruits et légumes tropicaux, venus tout droit des terres fertiles, y offrent un éventail presque étonnant. Les petits marchés flottants de Bangkok et de ses environs sont célèbres dans le monde entier. Le plus connu est celui de Damnoen Saduak, qui se trouve à environ 100 km à l'ouest de Bangkok. La flamboyance de ses couleurs laisse aux visiteurs un souvenir impérissable. Il faut s'y rendre, de préférence, de bon matin, quand il n'est pas encore envahi par la foule. À côté des étals des petits

Danseuses thaïlandaises en costume traditionnel. Elles interprètent les contes tirés de la tradition épique héritée de leurs ancêtres.

marchands qu'on trouve à tous les coins de rues et qui font le charme de la ville, Bangkok possède maintenant ses restaurants chics: ils proposent, dans un cadre luxueux, toutes sortes de mets extrêmement raffinés — en particulier, toute la gamme des spécialités régionales. À Bangkok et dans tout le centre de la Thaïlande, les habitants aiment les festivités qui les ramènent à leurs anciennes coutumes et traditions. Il faut ainsi visiter l'ancienne ville royale d'Ayutthaya, au nord de la capitale, de préférence au mois de janvier, au moment où on y célèbre la grande fête des éléphants. À la mi-avril, les Thaïs fêtent le nouvel an pendant plusieurs jours. Et, dès la seconde semaine de mai, alors que débute la récolte du riz, devant le grand palais de Bangkok se déroule la cérémonie royale des semailles:

une charrue sacrée laboure le sol de la place, puis le dieu des récoltes, qui symbolise le roi, sème les grains de riz contenus dans des paniers d'or et d'argent. La plus étonnante festivité thaïe, *Loy Krathong*, dans la nuit de la pleine lune de novembre, est un lâcher sur les eaux de frêles radeaux, faits de feuilles de bananier et de lotus ainsi que de fétus de bambou. Les *krathongs* partent chargés de pièces de monnaie et de fleurs, ainsi que de bâtons d'encens incandescents et d'une bougie allumée. Les Thaïs honorent ainsi, selon une ancienne tradition, la déesse des eaux et permettent, par la même occasion, aux habitants du pays d'expier leurs fautes et d'oublier leurs soucis — les péchés sont emportés au fil de l'eau. Le spectacle de ces frêles et lumineux esquifs disparaissant à l'horizon est un enchantement!

Les gardiens de l'un des temples du périmètre sacré du Wat Phra Keo, le «cloître du bouddha d'émeraude», un parc gigantesque qui regorge de merveilles architecturales (en haut).

Des bateaux-taxis multicolores sillonnent à grand bruit les canaux de Bangkok (en bas).

Les formes bizarres de ces falaises monolithiques, érodées par les eaux, attirent chaque année de nombreux touristes sur la côte occidentale du sud de la Thaïlande.

Le transport d'objets usuels se fait encore, bien souvent, de manière traditionnelle.

Le Sud

Le sud de la Thaïlande désigne la longue bande de la péninsule de Malacca. En son point le plus étroit, le pays n'a que 13 km de large. Cette région offre un étonnant contraste avec les autres. Arrosée pendant des mois par les pluies de la mousson, la forêt tropicale recouvre de grandes portions de terre, et s'il y a moins de rizières, cette absence est compensée par les plantations de caoutchouc et les cocoteraies. Ici, la mer n'est jamais très éloignée — la Thaïlande possède, sur sa partie ouest, le long de la mer d'Andaman, près de 700 km de côtes et, à l'est, le long du golfe de Siam, elle en compte près de 1 800 km. D'où l'abondance du poisson, dont le pays exporte une bonne partie. Au sud, de merveilleuses plages de sable fin et blanc et des petites îles de rêve accueillent les touristes

dont la venue constitue ici la base d'une importante activité économique. Les habitants du Sud ont la peau un peu plus foncée que ceux des autres régions. Ils sont travailleurs, mais cependant toujours prêts à bavarder avec les étrangers. Malheureusement, ils s'expriment si vite que même les habitants des autres régions ont du mal à les comprendre. C'est au sud, à la frontière de la Malaisie, que vit la majorité des musulmans — environ 2 millions d'âmes. Dans les villes, les temples bouddhistes côtoient les coupoles et les minarets des mosquées. La Thaïlande est le troisième producteur de caoutchouc du monde: le précieux liquide est recueilli dans des petits récipients accrochés aux arbres. Les champs d'ananas s'étendent sur des kilomètres; ils caractérisent le paysage du Sud, au même titre que les immenses cocoteraies qui produisent, chaque

année, des millions de noix de coco. Au moment de la récolte, des petits singes dressés aident les hommes dans leur tâche. La noix de coco joue un rôle essentiel dans la cuisine du Sud: c'est tout d'abord l'ingrédient des soupes telles que le *Thom Ka Gai,* soupe de poulet à la citronnelle *(page 52),* et de plats de viande, tel le *Gueng Massaman,* le bœuf au curry *(page 64).* Les marchés et les restaurants proposent un vaste choix de poissons et de fruits de mer de toutes sortes: homards et langoustes, crevettes et crabes, moules et thon.

Les plateaux de fruits de mer des restaurants sont extraordinairement riches et variés. Nombre de mets contiennent des noix de cajou, venues des plantations situées aux alentours. Ces dernières sont également servies grillées, comme amuse-gueule. Les Thaïs du Sud savent aussi s'amuser. À Petchaburi, en janvier, se déroule une fête populaire avec un feu d'artifice et un spectacle son et lumière. À l'extrême sud, à Pattani, en février, on honore la déesse Chaie Mae Niau. En avril se tient le festival d'ombres chinoises de Phattalung — le jeu des ombres chinoises, qui aurait été importé de Chine, est une très ancienne tradition thaïlandaise. Les ombres projetées sur l'écran sont les acteurs d'une pièce de théâtre. En septembre, à Nakhon Si Thammarat, sur la côte est, les bouddhistes célèbrent, pendant deux semaines, une importante fête religieuse. Les autochtones sont persuadés que les âmes qui ont été condamnées à vivre en enfer sont autorisées, pendant cette période, à prendre quelque repos; alors, les vivants s'efforcent, par leurs bonnes

actions et en organisant diverses cérémonies religieuses, de soulager les tourments des damnés. À Phuket, en octobre, c'est la fête des végétariens chinois: pour se purifier le corps, les fidèles s'abstiennent, quinze jours durant, de consommer la moindre viande ou de tuer le moindre animal. Devant les temples chinois et sur les places des villes, des rites occultes sont rendus chaque soir: des Chinois en transe courent sur des charbons ardents, se transpercent les joues avec des aiguilles, grimpent sur des échelles dont les barreaux sont des lames acérées, tout cela sans donner le moindre signe de souffrance. C'est un spectacle fascinant, mais peu recommandé aux âmes sensibles.

Mère et enfant faisant la sieste, sur l'île Phi-Phi Don.

Dans la ville de Songkhla: chargement du caoutchouc.

PÂTES DE CURRY ET SAUCES ÉPICÉES

La réussite des pâtes de *curry* et des sauces épicées exige énergie et imagination, et la cuisinière thaïlandaise en dépense beaucoup pour les préparer, car la pâte de *curry* constitue la base de bien des plats complets qu'elle confectionnera ensuite. Les recettes de pâtes de *curry*, plus ou moins épicées, appartiennent à la tradition thaïlandaise. C'est avant tout beaucoup d'épices et d'aromates broyées au mortier. (Faute de mortier, on peut utiliser un mixeur, mais le résultat n'est pas exactement le même.) Les pâtes de *curry* constituent la base du *curry* thaïlandais, auquel elles communiquent leur arôme typique. Elles peuvent être préparées longtemps à l'avance puis conservées plusieurs mois au réfrigérateur. On trouve des pâtes de *curry* prêtes à l'emploi — et de très bonne qualit — dans les magasins de produits asiatiques. La sauce d'accompagnement la plus appréciée en Thaïlande est le *nam pla*, une sauce de poisson qui remplace le sel et convient à de nombreux plats. Mélangée à des piments, de l'ail et du jus de limette *(voir glossaire)*, elle dégage un merveilleux parfum. Les Thaïs servent des sauces épaisses très raffinées avec nombre de leurs mets, notamment avec les plats de légumes. Chaque convive trempe ses légumes dans la sauce avant de les déguster.

Pâte de curry rouge

Préparation de base • Très relevé   Krueng Gueng Phet Deng

Pour 1 bol (4 personnes):
8 gros piments rouges frais
3 piments oiseaux rouges frais
3 échalotes
1 c. à c. de graines de coriandre
1 tige de citronnelle fraîche
2 cm de galanga frais (p. 52)
2 racines de coriandre • 1 citron vert
½ c. à c. de cumin • 1 c. à c. de sel
½ c. à c. de poivre noir du moulin
½ c. à c. de noix de muscade râpée
1 c. à c. de pâte de crevettes

Temps de préparation: 25 mn
Par portion: 150 kJ/36 kcal

1 Lavez tous les piments, ôtez-en graines et membranes et hachez-les. (Attention à vos yeux!) Pelez et hachez les échalotes. Faites revenir les graines de coriandre dans une poêle, sans huile, à feu vif, pendant 2 minutes. Lavez la citronnelle et coupez-la en petites rondelles. Lavez les racines de galanga et de coriandre et hachez-les.

Lavez le citron vert sous l'eau chaude, détachez-en le zeste et hachez-le: il en faut à peu près 1 c. à c.

2 Broyez grossièrement le cumin dans un grand mortier. Incorporez, peu à peu, tous les autres ingrédients et mélangez-les. Ajoutez le sel, le poivre et la noix de muscade, puis écrasez bien le tout, jusqu'à obtention d'une pâte crémeuse. Ajoutez enfin la pâte de crevettes et mélangez le tout.

Pâte de curry verte

Préparation de base • Très relevé   Krueng Gueng Kiao Van

Pour 1 bol (4 personnes):
8 gros piments verts frais
3 piments oiseaux verts frais
3 échalotes
1 c. à c. de graines de coriandre
1 tige de citronnelle fraîche
2 cm de galanga frais (p. 52)
2 racines de coriandre • 1 citron vert
½ c. à c. de cumin • 1 c. à c. de sel

½ c. à c. de poivre noir du moulin
½ c. à c. de noix de muscade râpée
1 c. à c. de pâte de crevettes

Temps de préparation: 25 mn
Par portion: 150 kJ/36 kcal

Procédez comme pour la pâte de curry rouge, mais remplacez les piments

rouges par des piments verts.

Note: Les pâtes de curry sont la base de la plupart des *curries* thaïlandais. Si vous ne disposez pas d'un grand mortier, utilisez un mixeur; le résultat ne sera cependant pas tout à fait le même. L'achat d'un mortier est, à long terme, un bon investissement.

Pâte de curry paneng

Préparation de base • Relevé   Krueng Gueng Paneng

Pour 1 bol (4 personnes):
6 gros piments forts séchés
1 c. à c. de sel
3 gousses d'ail • 3 échalotes
1 tige de citronnelle fraîche
2 cm de galanga frais (p. 52)
2 racines de coriandre
1 citron vert
½ c. à c. de poivre noir du moulin
½ c. à c. de pâte de crevettes

Temps de préparation: 20 mn
Par portion: 140 kJ/33 kcal

1 Coupez les piments en deux dans le sens de la longueur. Retirez-en graines et membranes, faites-les ramollir pendant 5 minutes dans l'eau tiède et égouttez-les en les pressant entre vos doigts. (Attention à vos yeux!) Écrasez les piments et le sel dans un mortier.

Pelez l'ail et les échalotes, lavez la citronnelle et les racines de galanga et de coriandre, hachez le tout. Lavez le citron sous l'eau chaude, détachez et hachez-en le zeste: il en faut 1 c. à s.

2 Mélangez tous les ingrédients dans le mortier, incorporez le poivre et la pâte de crevettes, puis pilez le tout jusqu'à obtention d'une pâte fine.

Pâte de curry massaman

Thaïlande du Sud • Relevé **Krueng Gueng Massaman**

Pour 1 bol (4 personnes):
8 gros piments forts séchés
1 c. à c. de sel
1 c. à s. de graines de coriandre
1 c. à c. de cumin
2 cm de galanga frais (p. 52)
1 tige de citronnelle fraîche
10 gousses d'ail
5 échalotes
½ c. à c. de poudre de clous de girofle
½ c. à c. de poivre noir fraîchement moulu
1 c. à c. de pâte de crevettes

Temps de préparation: 25 mn

Par portion: 230 kJ/55 kcal

1 Coupez les piments en deux dans le sens de la longueur. Retirez-en graines et membranes, puis faites-les ramollir pendant environ 5 minutes dans de l'eau tiède, avant de les égoutter en les pressant entre vos doigts. Lavez-vous soigneusement les mains (le piment provoque des brûlures graves aux yeux). Écrasez les piments et le sel dans un mortier. Faites revenir les graines de coriandre et de cumin dans une poêle, à feu moyen, sans huile, pendant environ 3 minutes, jusqu'à ce que leur parfum s'exhale.

2 Lavez le galanga et la citronnelle. Émincez le galanga en tranches minces et la citronnelle en fines rondelles.

Pelez ail et échalotes et hachez-les. Ajoutez ces ingrédients dans la poêle, sans ajouter d'huile, laissez à feu moyen, en remuant de temps en temps, pendant environ 5 minutes, jusqu'à ce que le tout soit doré.

3 Pilez tous les ingrédients dans le mortier, jusqu'à obtention d'une pâte. Ajoutez la poudre de clous de girofle, le poivre noir et la pâte de crevettes. Mélangez bien.

Note: Cette pâte de *curry* trahit une influence indienne. Le Krueng Gueng Massaman, dont les musulmans de Thaïlande sont friands, accompagne le bœuf ou la volaille, jamais le porc.

Pâte de curry jaune

Préparation de base • Relevé **Krueng Gueng Garrieh**

Pour 1 bol (4 personnes):
5 gros piments forts rouges séchés
2 cm de galanga frais (p. 52)
1 tige de citronnelle fraîche
10 gousses d'ail
5 échalotes
1 c. à s. de graines de coriandre
1 c. à c. de cumin
1 c. à c. de sel
1 c. à s. de poudre de curry (glossaire)
1 c. à c. de pâte de crevettes.

Temps de préparation: 25 mn

Par portion: 230 kJ/55 kcal

1 Coupez les piments en deux dans le sens de la longueur. Retirez-en graines et membranes, puis faites-les ramollir pendant environ 5 minutes dans de l'eau tiède, avant de les égoutter en les pressant entre vos doigts. Lavez-vous ensuite soigneusement les mains (le piment provoque des brûlures graves aux yeux).

2 Lavez le galanga et la citronnelle. Émincez le galanga et coupez la citronnelle en fines rondelles. Pelez l'ail et les échalotes et hachez-les menu.

3 Mettez les graines de coriandre et de cumin dans une poêle, sans huile. Incorporez ensuite l'ail, les échalotes,

le galanga et la citronelle. Laissez sur feu moyen, en remuant constamment, pendant environ 3 minutes.

4 Réduisez les piments en purée dans le mortier. Incorporez-leur, petit à petit, les ingrédients de la poêle. Pilez le tout vigoureusement et salez. Ajoutez enfin le curry en poudre et la pâte de crevettes.

Sauce pimentée à la coriandre

Nam Pla Prik

Très rapide • Très relevé

Pour 1 bol (4 personnes):
4 piments oiseaux frais
2 gousses d'ail
3 c. à s. de nam pla (sauce de poisson thaïlandaise)
2 c. à s. de jus de limette (glossaire) ou de citron
1 pied de coriandre fraîche (p. 47)

Temps de préparation: 15 mn

Par portion: 56 kJ/13 kcal

1 Lavez les piments, retirez-en graines et membranes puis écrasez-les dans le mortier ou coupez-les en fines rondelles. Lavez-vous soigneusement les mains (le piment provoque des brûlures graves aux yeux). Pelez l'ail et hachez-le menu. Mélangez, dans un petit bol, les rondelles ou la purée de piment, l'ail, la sauce de poisson et le jus de limette ou de citron.

2 Lavez la coriandre et égouttez-la. Coupez-en la tige et les feuilles en tout petits morceaux puis incorporez-les à la sauce au piment.

Variante: Vous pouvez ajouter, comme ingrédients, quelques fines rondelles d'échalote ou d'oignon violet.

Note: Cette sauce pimentée à la coriandre est préparée et appréciée dans toutes les provinces de Thaïlande. Il importe de la consommer la plus fraîche possible. Elle convient très bien à tous les plats de riz frit, de légumes frits et aux plats de viande qui ne donnent pas beaucoup de sauce — tels que, par exemple, le filet de porc à l'ananas *(page 74)* ou le canard rôti *(page 111)*.

Le piment

Le piment, cousin du poivron, est le fruit des plantes appartenant à la famille des solanacées. Sur les marchés thaïlandais, on en trouve de toutes les tailles, de toutes les formes et de toutes les couleurs. Son goût pimenté provient de la capsicine qu'il contient — elle provoque chez un certain nombre d'individus une réaction allergique: rougeurs au visage, dans le cou et sur la poitrine. Outre la capsicine, le piment contient des hydrates de carbone et de l'albumine, ainsi que de la provitamine A, de la vitamine C. Pour atténuer le feu d'un piment, il faut le couper en deux dans le sens

Il existe des piments de toutes couleurs et de toutes tailles.

de la longueur et en enlever les graines et les membranes. C'est haché menu ou écrasé au mortier que le piment donne le meilleur de son arôme. Les piments les plus forts sont les petits piments dits oiseaux, *prik khie nuu.*

Les gros piments, *prik schiih faah,* qu'ils soient rouges ou verts, et les piments confits sont plus doux. Utilisez-les donc de préférence si vous êtes peu habitués! Tous les piments peuvent aussi être séchés.

Sauce aigre-douce pimentée

Un peu long • Parfumé et relevé Nam Jim Priau Van

Pour 1 bol (4 personnes):
½ poivron rouge
2 piments oiseaux rouges frais
1 gousse d'ail
5 c. à s. de vinaigre de riz ou,
à défaut, de vinaigre de cidre
10 c. à s. de sucre

Temps de préparation: 45 mn

Par portion: 680 kJ/162 kcal

1 Coupez le poivron et les piments en deux dans le sens de la longueur. Épépinez et lavez le poivron. Pelez l'ail. Retirez les membranes et les graines des piments puis passez-les sous l'eau. Lavez-vous soigneusement les mains (le piment brûle les yeux).

2 Pilez le poivron, les piments et l'ail dans un mortier. Mettez le tout dans une petite casserole.

3 Ajoutez environ 25 cl d'eau, le vinaigre et le sucre. Faites cuire à feu moyen, sans couvercle, pendant environ 30 minutes, jusqu'à ce que le mélange devienne légèrement velouté.

Variante: Vous pouvez incorporer à la sauce de fines rondelles de concombre (épluché et coupé en quatre dans le sens de la longueur) ou des cacahuètes écrasées.

Sauce au simple piment

Rapide • Très relevé Nam Jim Prikbon

Pour 1 bol (4 personnes):
2 gousses d'ail
4 c. à s. de nam pla (sauce de poisson thaïlandaise)
2 c. à s. de jus de limette (glossaire)
1 c. à s. de sucre de palme
1 c. à s. de piment en poudre

Temps de préparation: 10 mn

Par portion: 89 kJ/21 kcal

1 Pelez l'ail et pilez-le au mortier.

2 Ajoutez la sauce de poisson, le jus de limette, le sucre de palme et le piment en poudre. Remuez jusqu'à ce que le sucre soit dissous.

Variante: Vous pouvez remplacer le jus de limette par du sirop de tamarin.

Sirop de tamarin: Prenez un tamarin de la taille d'une noix, laissez-le tremper environ 10 minutes dans 5 c. à s. d'eau chaude et pressez-le dans l'eau pour en extraire la pulpe. Passez le tout au tamis.

Notes:
• Cette sauce est surtout consommée dans le nord du pays.
• On peut remplacer les 2 gousses d'ail frais par 4 gousses d'ail confit *(page 35)* d'abord pelées puis coupées en petits morceaux.

Piments au vinaigre

Très rapide • Relevé Prik Nam Somm

Pour 1 bol (4 personnes):
8 gros piments (4 rouges et 4 verts)
12,5 cl de vinaigre de riz ou,
à défaut, de vinaigre de cidre

Temps de préparation: 5 mn

Par portion: 40 kJ/9 kcal

1 Lavez les piments, retirez-en les graines et les membranes et coupez-les en rondelles. (Ne vous frottez surtout pas les yeux avant de vous être bien lavé les mains; les piments contiennent de la capsicine, substance qui provoque de fortes sensations de brûlures.)

2 Versez le vinaigre sur les piments et remuez bien.

Note: Cette sauce doit toujours être servie très fraîche. Elle convient à tous les plats de pâtes et peut servir de condiment avec d'autres aliments.

Ail confit

Assez long • Un peu fort Krathiam Dong

Pour 1 bol (4 personnes):
60 cl de vinaigre de riz ou,
à défaut, de vinaigre de cidre
600 g de sucre
60 cl d'eau
1 c. à c. de sel
500 g de petites têtes d'ail

Temps de préparation: 30 mn
(+ 1 semaine de marinade)

Par portion: 3 400 kJ/810 kcal

1 Faites bouillir le vinaigre, le sucre, l'eau et le sel dans une casserole pendant environ 10 minutes, puis laissez refroidir.

2 Pelez les têtes d'ail, lavez-les et égouttez-les soigneusement.

3 Ébouillantez un grand bocal en verre, puis laissez-le bien égoutter. Placez les têtes d'ail régulièrement dans le bocal. Versez par-dessus le mélange de vinaigre et de sucre refroidi, et laissez mariner dans un lieu frais pendant au minimum une semaine.

Note: L'ail confit se conserve ainsi, en bocal, plus d'un an. Il accompagne agréablement de nombreux mets thaïlandais. Il faut retirer la pellicule qui s'est formée autour des têtes d'ail avant de les utiliser.

Bouillie de crevettes

Facile • Très relevé Nam Prik Kapi

Pour 1 bol (4 personnes):
2 c. à s. de crevettes séchées
4 gousses d'ail
4 piments oiseaux frais
2 c. à s. de pâte de crevettes
(glossaire)
1 c. à s. de nam pla (sauce de
poisson thaïlandaise)
3 c. à s. de sucre de palme
4 c. à s. de jus de limette (glossaire)

Temps de préparation: 20 mn
Par portion: 330 kJ/79 kcal

1 Pilez finement les crevettes séchées dans le mortier. Réservez-les. Pelez l'ail. Lavez les piments, ôtez-en les graines et les membranes. Pilez l'ail, les piments et la pâte de crevettes au mortier. Attention à vos yeux: lavez-vous soigneusement les mains!

2 Versez dans un bol le contenu du mortier, ajoutez-y les crevettes pilées, la sauce de poisson, le sucre de palme et le jus de limette. Mélangez le tout jusqu'à obtention d'une pâte lisse.

Note: Cette sauce convient pafaitement à tous les légumes crus, cuits et frits. Vous pouvez varier, à votre goût, la quantité de jus de citron et de sucre.

Sauce saté

Facile • Parfumé Nam Jim Muh Saté

Pour 1 bol (4 personnes):
150 g de cacahuètes grillées salées
3 c. à s. d'huile
2 c. à s. de pâte de curry rouge (p. 26)
40 cl de lait de coco non sucré
3 c. à s. de sucre de palme
1 c. à c. de sel
3 c. à s. de vinaigre de riz (ou de cidre)

Temps de préparation: 25 mn
(+ 25 mn pour la pâte de curry)
Par portion: 1 500 kJ/360 kcal

1 Pilez finement les cacahuètes au mortier. Faites chauffer l'huile dans une cocotte et faites-y revenir la pâte de curry, à feu moyen, un court instant.

2 Ajoutez le lait de coco et laissez cuire 1 minute. Ajoutez les cacahuètes, le sucre, le sel et le vinaigre, et laissez mijoter à feu doux pendant 15 minutes, jusqu'à consistance veloutée.

Note: Cette sauce accompagne bien les brochettes de viande *(page 73)*.

Sauce à la viande et à la tomate

Nam Prik Ong

Pour 1 bol (4 personnes):
5 gros piments forts séchés
2 c. à c. de sel
3 tomates moyennes
1 tige de citronnelle fraîche
3 brins de coriandre fraîche
5 échalotes
10 gousses d'ail
1 c. à c. de pâte de crevettes
(glossaire)
150 g de viande hachée
(porc et bœuf mélangés)
3 c. à s. d'huile
1 c. à c. de sucre
1 c. à s. de jus de limette
(glossaire)

Temps de préparation: 25 mn

Par portion: 940 kJ/220 kcal

1 Coupez les piments en deux dans le sens de la longueur, retirez-en graines et membranes, faites-les ramollir pendant environ 5 minutes dans l'eau tiède puis laissez-les égoutter. Pilez-les dans un grand mortier, avec le sel. Lavez-vous soigneusement les mains (le piment provoque des brûlures graves aux yeux). Lavez les tomates, ôtez-en les graines et coupez-les en gros dés ou en rondelles.

2 Lavez la citronnelle et coupez-la en fines rondelles. Lavez la coriandre, égouttez-la et hachez-la menu. Pelez les échalotes et coupez-les en quatre. Pelez l'ail et réservez-en 5 gousses. Pilez les 5 autres gousses au mortier, avec la citronnelle, la coriandre et les échalotes. Ajoutez les piments et la pâte de crevettes et pilez à nouveau,

jusqu'à obtention d'une pâte. Incorporez la viande hachée et mélangez vigoureusement le tout.

3 Hachez finement les gousses d'ail restantes. Chauffez l'huile dans une poêle et faites-y revenir l'ail pendant 2 minutes à feu moyen. Incorporez la préparation à la viande hachée, le sucre, le jus de limette et la tomate. Laissez cuire le tout à feu moyen pendant environ 5 minutes, jusqu'à résorption complète du liquide. Remuez constamment.

Note: Cette sauce accompagne très bien les légumes, qu'ils soient crus ou cuits. Si vous le désirez, vous pouvez ébouillanter et peler les tomates, mais sachez cependant qu'en Thaïlande on ne le fait jamais.

Sauce piquante aux crevettes

Nam Prik Numm

Nord de la Thaïlande • Facile

Pour 1 bol (4 personnes):
2 gros piments rouges frais
1 gros piment vert frais
10 gousses d'ail
5 échalotes
1 c. à s. d'huile
300 g de crevettes crues entières,
de taille moyenne
3 c. à s. de nam pla (sauce
de poisson thaïlandaise)
3 c. à s. de jus de limette
(glossaire)

Temps de préparation:
40 mn

Par portion:
560 kJ/130 kcal

1 Lavez les piments, ôtez-en graines et membranes et coupez-les en gros morceaux. Évitez de vous toucher les yeux avant de vous être soigneusement lavé les mains. Pelez ail et échalotes, hachez-les menu. Faites revenir piments, ail et échalotes dans l'huile, dans une poêle, à feu moyen, pendant environ 5 minutes, jusqu'à ce que ces ingrédients soient bien dorés.

2 Lavez les crevettes sous l'eau froide. Faites bouillir 25 cl d'eau dans une marmite, jetez-y les crevettes et laissez bouillir pendant environ 2 minutes. Sortez les crevettes et réservez un peu de l'eau. Laissez refroidir les crevettes, retirez-leur la tête, décortiquez-les et retirez-en le boyau noir central. Hachez-en la chair très finement.

3 Pilez grossièrement le mélange de piments, d'ail et d'échalotes dans le mortier. Ajoutez la chair des crevettes. Mettez ce mélange dans un petit bol et ajoutez la sauce de poisson, le jus de limette et le fond d'eau de cuisson des crevettes. La sauce obtenue doit être épaisse.

Note: Cette sauce est délicieuse avec les légumes crus ou cuits. Vous pouvez, pour décorer le plat, prévoir deux crevettes de plus au moment de la cuisson — vous les laisserez ensuite entières, non décortiquées.

SOUPES ET EN-CAS

L es Thaïs aiment à déguster — et aussi à offrir — amuse-gueule et en-cas relevés pour combler les petits creux au cours de la journée. La plupart du temps, ils prennent leur seul vrai repas le soir, lorsque la chaleur se fait moins forte. Partout, dans les rues, des petits étals ou des marchands ambulants abrités sous de grands parasols (qui les protègent soit du soleil, soit de la pluie) proposent des mets extrêmement épicés. Des mobylettes équipées de fourneaux parcourent les villages; les familles thaïes les reconnaissent au son de leur klaxon et devinent du même coup quels plats seront au menu du jour. Les *klongs* (les canaux) grouillent de petits bateaux dont les propriétaires vendent toutes sortes de délicieuses soupes au vermicelle; on les appelle les *gai thiau rua,* ou «bateaux-nouilles». Les marchands thaïs préparent tous leurs plats — qu'ils soient *haeng* (sans bouillon) ou *gai thiau nam* (avec bouillon) — en un tournemain. Les plus étonnants de tous sont sans doute, dans les rues des grandes villes, ces marchands ambulants qui transportent des restaurants entiers dans les deux corbeilles qu'ils portent suspendues aux deux extrémités d'un long bambou disposé en équilibre sur leurs épaules. La vitesse à laquelle ils préparent leurs en-cas épicés est prodigieuse.

Pâtés impériaux

Assez long • Plat de fête **Pho-Pbia**

Pour 4 à 6 portions:
20 feuilles de papier de riz
surgelées de 20 x 20 cm (glossaire)
100 g de vermicelles transparent
(glossaire)
100 g de chou blanc
1 petite carotte (environ 50 g)
2 gousses d'ail
2 c. à s. d'huile
250 g de viande hachée (porc
et bœuf mélangés)
2 c. à s. de nam pla (sauce
de poisson thaïlandaise)
1 c. à s. de sucre
2 c. à s. de sauce d'huîtres
(glossaire)
1 blanc d'œuf
1 l d'huile végétale pour friture
quelques feuilles de salade
quelques rondelles de concombre
quelques rondelles de tomate

Pour accompagner le plat:
1 bol de sauce aigre-douce
pimentée (p. 32)

Temps de préparation: 1 h
(+ 45 mn pour la sauce aigre-douce)

Par portion (pour 6 personnes):
1 900 kJ/450 kcal

1 Faites décongeler les feuilles de pâte. Laissez ramollir les vermicelles pendant environ 10 minutes dans l'eau chaude, puis égouttez-les et coupez-les en petits morceaux, aux ciseaux.

2 Lavez le chou blanc et les carottes, coupez-les en fines lamelles et en rondelles. Pelez les gousses d'ail.

3 Faites chauffer l'huile dans une poêle ou un wok. Ajoutez-y l'ail écrasé et faites-le revenir brièvement. Ajoutez ensuite la viande hachée et faites-la cuire à feu vif pendant environ 2 minutes, sans cesser de la remuer. Incorporez le chou, la carotte et les vermicelles. Incorporez la sauce de poisson, le sucre et la sauce d'huîtres, et laissez à feu moyen, pendant encore environ 3 minutes. Faites refroidir.

4 Disposez la pâte sur le plan de travail et placez au milieu de chaque feuille environ 2 c. à s. de la farce obtenue précédemment. Refermez

largement l'un des coins de la pâte sur cette farce.

5 Repliez, par-dessus, les deux coins

adjacents, puis roulez la farce ainsi recouverte sur le dernier coin, en serrant bien (les rouleaux obtenus de cette façon auront environ 7 cm de long). Badigeonnez de blanc d'œuf l'extrémité de chaque rouleau et pressez-la fermement.

6 Mettez l'huile à friture dans la poêle, sur feu vif. Dès qu'elle est bouillante, faites-y frire les rouleaux pendant 3 minutes, sortez-les puis égouttez-les sur du papier absorbant. Disposez-les sur un plat décoré de feuilles de salade, de rondelles de concombre (à bords incisés) et rondelles de tomate. Chaque convive prend une feuille de salade, y pose quelques rondelles de concombre et de tomate puis un pâté impérial, la roule, la trempe dans la sauce aigre-douce et... se régale!

Boulettes de viande à l'ananas

Plat de fête • Facile   **Mah Ho**

Pour 4 à 6 personnes:
200 g de crevettes crues entières,
de taille moyenne
2 c. à s. d'huile
200 g de viande hachée
(porc et bœuf mélangés)
100 g de cacahuètes grillées salées
5 gousses d'ail
3 brins de coriandre fraîche (p. 47)
½ c. à c. de poivre noir fraîchement
moulu
350 g de sucre de palme ou,
à défaut, de sucre roux
1 c. à c. de sel
1 ananas de taille moyenne

Temps de préparation: 1 h

Par portion (pour 6 personnes):
2 300 kJ/550 kcal

1 Retirez la tête des crevettes. Décortiquez les queues et incisez-en le dos, dans le sens de la longueur, pour en retirer le boyau noir. Lavez-les, égouttez-les et hachez-les menu.

2 Faites chauffer l'huile dans une poêle et faites-y cuire les crevettes et la viande hachée à feu moyen, pendant 15 à 20 minutes — jusqu'à ce que tout le liquide rendu soit résorbé. Mettez la poêle de côté. Pilez les cacahuètes au mortier. Réservez-les.

3 Pelez l'ail. Lavez et égouttez la coriandre et réservez-en les feuilles. Écrasez l'ail, les tiges de coriandre et le poivre dans le mortier.

4 Faites chauffer le sucre dans une petite casserole. Quand il est fondu,

incorporez-lui la pâte d'ail et mélangez bien. Ajoutez la viande hachée et les crevettes, ainsi que les cacahuètes et le sel. Faites cuire le tout de 25 à 30 minutes, à feu doux, jusqu'à obtention d'une pâte très gluante. Laissez refroidir.

5 Épluchez l'ananas en en retirant bien les yeux. Coupez-le dans le sens de la longueur. Retirez-en le cœur et découpez-le en morceaux de 5 cm de côté. Disposez ces morceaux sur un grand plat, confectionnez de petites boulettes de viande et de crevettes et posez-les sur les morceaux d'ananas. Décorez avec les feuilles de coriandre.

Note: Vous pouvez remplacer l'ananas par des quartiers d'orange sanguine.

L'ananas

Ce fruit, originaire d'Amérique du Sud, est cultivé depuis plusieurs siècles en Thaïlande; il se plaît tout particulièrement dans les terrains sablonneux de la côte méridionale. Depuis quelques années, il y est produit en si grandes quantités que la Thaïlande compte désormais parmi les principaux exportateurs de conserves d'ananas. Dans le pays même, on mange l'ananas frais, et l'on boit son jus; il entre aussi dans la préparation de nombreux mets. Le fruit de l'ananas contient des sels minéraux (fer et calcium), du sucre, de l'acide sorbique, de la

La Thaïlande figure parmi les principaux pays exportateurs d'ananas.

provitamine A, de la vitamine C et des vitamines du groupe B. Dans le fruit frais on trouve aussi de la broméline, un produit qui stimule la digestion. Avant d'acheter un ananas frais, il faut vérifier que le fruit est bien parfumé, que sa peau est jaune doré, sans taches vertes, et que sa chair cède légèrement sous la pression du doigt. Alors, il est juste à point.

Galettes de riz fourrées

Plat de fête • Un peu délicat

Pho-Pbia Saveuy

Pour 4 personnes:
100 g de radis noir
1 bol de sauce aigre-douce
pimentée (p. 32)
500 g de crevettes crues entières,
de taille moyenne
200 g de viande hachée
(porc et bœuf mélangés)
3 c. à s. de sauce de soja claire
½ c. à c. de poivre noir fraîchement
moulu
1 c. à s. de fécule
50 g de noix de cajou non salées
2 brins de coriandre fraîche (p. 47)
8 feuilles de papier de riz
(20 x 20 cm)
4 c. à s. de graines de sésame
blanches
1 blanc d'œuf
½ l d'huile végétale pour friture

Temps de préparation: 45 mn
(+ 45 mn pour la sauce aigre-douce)

Par portion: 2 700 kJ/640 kcal

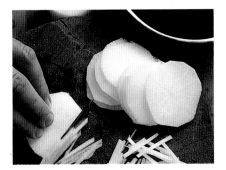

1 Épluchez le radis noir, coupez-le tout d'abord en tranches puis en fins bâtonnets et nappez-le de sauce aigre-douce pimentée.

2 Retirez la tête des crevettes, décortiquez-les, incisez-leur le dos et enlevez-leur le boyau noir. Lavez-les et hachez-les menu. Puis mélangez-les intimement à la viande hachée, avec la sauce de soja, le poivre et la fécule.

3 Pilez grossièrement les noix de cajou. Lavez la coriandre, égouttez-la et hachez-la. Étalez 4 feuilles de papier de riz sur le plan de travail. Versez le mélange crevettes-viande hachée dessus et étalez-le jusqu'à environ 1 cm du bord.

4 Répartissez sur le mélange les noix de cajou, les graines de sésame et la coriandre. Couvrez chacune des 4 feuilles ainsi garnies d'une autre feuille de papier de riz. Soulevez progressivement le bord de la feuille supérieure pour en badigeonner l'intérieur de blanc d'œuf. Pressez-le fermement contre le bord de la feuille inférieure pour les coller.

5 Faites chauffer l'huile dans une grande poêle, à feu moyen. Déposez les 4 galettes dans l'huile, à l'aide d'une spatule, et faites-les revenir environ 1 minute de chaque côté, jusqu'à ce qu'elles soient bien dorées. Faites-les égoutter sur du papier absorbant. Coupez chacune d'elles en huit et servez-les avec le radis noir à la sauce aigre-douce pimentée.

Note: Vous pouvez, pour décorer le plat, poser les galettes sur des feuilles de salade, poser le bol de radis à la sauce aigre-douce pimentée au milieu et ajouter quelques morceaux d'ananas, petits piments et feuilles de coriandre.

Crevettes piquantes

Plat de fête • Très relevé **Gung Sa**

Pour 4 personnes:
600 g de crevettes crues entières,
de taille moyenne
3 c. à s. de sauce de soja claire
½ c. à c. de poivre noir fraîchement
moulu
6 gousses d'ail
5 brins de coriandre fraîche (p. 47)
5 piments oiseaux frais
4 c. à s. de jus de limette
(glossaire)
3 c. à s. de sucre
4 c. à s. de nam pla (sauce
de poisson thaïlandaise)
3 c. à s. d'huile

Temps de préparation: 30 mn
(+ 20 mn de marinade)

Par portion: 950 kJ/230 kcal

1 Retirez la tête des crevettes, décortiquez-les en leur laissant les écailles du bout de la queue, incisez-les sur le dos et retirez-en le boyau noir. Passez-les rapidement sous l'eau, égouttez-les et laissez-les mariner dans un mélange de sauce de soja et de poivre, au réfrigérateur, dans un récipient couvert, pendant 20 minutes.

2 Pendant ce temps, pelez l'ail, puis lavez, égouttez et effeuillez les brins de coriandre. Lavez les piments, ôtez-en graines et membranes et pilez-les au mortier avec l'ail et les tiges de coriandre (dont vous réserverez les feuilles). Lavez-vous soigneusement les mains (le piment provoque de graves brûlures aux yeux)! Mettez le mélange dans un bol, avec le jus de limette, le sucre et la sauce de poisson.

Mélangez bien le tout, jusqu'à ce que le sucre soit entièrement dissous.

3 Faites chauffer l'huile dans une poêle et faites-y cuire les crevettes, à feu moyen, pendant 3 minutes, jusqu'à ce qu'elles rougissent. Sortez-les, égouttez-les, disposez-les sur un plat de service, nappez-les de sauce et décorez avec les feuilles de coriandre.

Note: Vous pouvez aussi servir la sauce à part, de manière que les convives se servent librement.
Pour atténuer le feu du piment, ajoutez, dans le plat, quelques feuilles de laitue bien croquante dont les plus délicats enroberont leurs crevettes.

La coriandre

La coriandre est l'une des herbes qui furent les plus anciennement utilisées en cuisine et en médecine. Elle est largement présente dans la cuisine asiatique. Elle ressemble au persil plat — d'où son appellation de «persil chinois» — mais son goût est très différent de celui de notre persil commun. En Thaïlande, on utilise autant les racines que les tiges, feuilles et graines. Les amateurs en apprécient surtout les feuilles, en raison de leur arôme puissant, dû à l'huile essentielle volatile qu'elles contiennent. La coriandre est un antispasmodique et un stimulant; elle facilite également la digestion. On la trouve fraîche dans les magasins d'alimentation asiatique. On peut aussi en obtenir des tiges, en quelques semaines, en en plantant des graines, bien séparées, dans une terre humide. La coriandre peut être frite.

La coriandre fraîche confère son arôme à bien des plats thaïlandais.

Blanc de poulet sur lit de salad

Un peu délicat • Parfumé et relevé

Miang Gai

Pour 4 à 6 personnes:
400 g de blanc de poulet cru
3 c. à s. de nam pla (sauce de
poisson thaïlandaise)
2 c. à s. de jus de limette
(glossaire)
2 c. à s. de sucre
2 morceaux (gros comme le pouce)
de gingembre jeune et frais
10 échalotes
5 piments oiseaux frais
2 citrons verts
50 g de cacahuètes grillées salées
1 salade verte croquante

Temps de préparation: 45 mn

Par portion (pour 6 personnes):
610 kJ/140 kcal

1 Hachez menu le blanc de poulet et mélangez-le, dans un récipient, à la sauce de poisson, au jus de limette et au sucre. Mélangez bien le tout et laissez mariner au réfrigérateur, à couvert, pendant 20 minutes environ.

2 Pelez le gingembre et les échalotes et coupez-les en dés d'environ ½ cm. Lavez les piments, ôtez-en graines et membranes et coupez-les en fines rondelles. Lavez-vous soigneusement les mains (le piment provoque de graves brûlures aux yeux)! Épluchez les citrons verts à vif, avec un couteau bien aiguisé — si vous préférez leur laisser la peau, lavez-les soigneusement à l'eau très chaude. Détaillez-les en dés d'environ ½ cm. Retirez-en les pépins. Mettez le gingembre, les échalotes, le piment, les dés de citron et les cacahuètes dans des petites coupelles ou en petits tas séparés sur une seule grande assiette.

3 Lavez et égouttez les feuilles de laitue, déchirez-les en morceaux d'environ 6 x 6 cm et disposez-les sur un grand plat.

4 Mettez le blanc de poulet dans un linge et tordez-le bien, au-dessus d'une casserole. Faites cuire brièvement le liquide qui est sorti, émiettez le poulet. Ajoutez ce dernier au liquide et laissez encore sur feu moyen, pendant environ 2 minutes. Laissez ensuite refroidir.

5 Confectionnez des petites boulettes de poulet, pressez-les pour en faire sortir le liquide et disposez-les sur les feuilles de salade. Chacun se servira à sa guise des ingrédients préparés qu'il ajoutera à ses boulettes de poulet.

Variante: Vous pouvez remplacer le blanc de poulet par du saumon, du cabillaud ou des filets de perche. Vous pouvez aussi remplacer la laitue par des feuilles d'épinards.

Note: Si vous possédez un mixeur, n'hésitez pas à vous en servir pour hacher le poulet.

Crevettes frites

Un peu long • Croustillant **Gung Rampen**

Pour 4 personnes:
500 g de crevettes crues entières,
de taille moyenne
3 c. à s. de sauce de soja claire
½ c. à c. de poivre noir fraîchement
moulu
100 g de farine à tempura (glossaire)
1 c. à c. de sel
1 l d'huile végétale de friture

Pour accompagner le plat:
1 bol de sauce aigre-douce pimentée
(p. 32)

Temps de préparation: 30 mn
(+ 30 mn de marinade
+ 45 mn pour la sauce aigre-douce)

Par portion: 2 000 kJ/480 kcal

1 Retirez la tête des crevettes, décortiquez-les en leur laissant les écailles du bout de la queue, incisez-leur le dos et retirez-en le boyau noir. Lavez-les, égouttez-les et laissez-les mariner au réfrigérateur, dans un récipient couvert, dans la sauce de soja et le poivre, pendant environ 30 minutes.

2 Mélangez lentement, au fouet, la farine à tempura, le sel et 25 cl d'eau, jusqu'à obtention d'une pâte épaisse sans grumeaux.

3 Faites chauffer l'huile dans une friteuse. Elle est à bonne température dès qu'une cuiller en bois plongée dedans fait surgir des bulles.

4 Attrapez les crevettes par la queue, trempez-les dans la pâte puis jetez-les dans l'huile. Faites-les dorer à feu moyen pendant environ 1 minute. Retirez-les à l'aide d'une écumoire et égouttez-les sur du papier absorbant. Servez-les avec de la sauce aigre-douce pimentée.

Boulettes de riz gluant farcies

Plat de fête • Un peu plus délicat

Khao Niau Sod Sei

Pour 4 à 6 personnes:
150 g de riz gluant cru
400 g de blanc de poulet cru
3 brins de coriandre fraîche (p. 47)
1 bouquet de ciboulette
1 jaune d'œuf
1 c. à s. bombée de fécule
3 c. à s. de nam pla (sauce de poisson thaïlandaise)
1 c. à s. de sucre
½ c. à c. de poivre noir fraîchement moulu
1 petite carotte
½ poivron rouge • ½ poivron vert

Pour accompagner le plat:
1 bol de sauce aigre-douce pimentée (p. 32)

Temps de préparation: 50 mn
(+ 2 h de trempage
+ 45 mn pour la sauce aigre-douce)

Par portion (pour 6 personnes):
850 kJ/200 kcal

1 Laissez tremper le riz gluant dans l'eau chaude pendant au moins 2 heures. Pendant ce temps, hachez le blanc de poulet puis lavez, égouttez et hachez menu la coriandre et la ciboulette, mélangez avec le blanc de poulet, le jaune d'œuf, la fécule, la sauce de poisson, le sucre et le poivre.

2 Laissez égoutter le riz gluant dans une passoire, puis répartissez-le sur une grande assiette. Déposez dessus 1 c. à c. de la préparation au poulet. Mouillez-vous les mains et roulez cette cuillerée de poulet dans le riz pour façonner une boulette d'environ 2 cm de diamètre. Fabriquez ensuite d'autres boulettes, jusqu'à épuisement du riz.

3 Portez de l'eau à ébullition dans un couscoussier — ou une casserole contenant un panier à vapeur recouvert d'une feuille d'aluminium graissée et

percée de petits trous. Quand l'eau bout, placez les boulettes de riz gluant sur le panier à vapeur, en les espaçant d'environ 1 cm. Posez le couvercle dessus et laissez cuire à la vapeur, sur feu vif, pendant environ 5 minutes. Baissez ensuite le feu et laissez cuire pendant encore environ ¼ d'heure.

4 Pendant la cuisson, préparez la garniture du plat: lavez la carotte et les demi-poivrons, ôtez les graines et les membranes des poivrons et coupez le tout en très fines languettes. Dès qu'elles sont cuites, déposez les boulettes de riz gluant sur un plat de service, éventuellement sur une feuille de bananier, et disposez les languettes de légumes dessus. Servez avec de la sauce aigre-douce pimentée.

Notes: Les boulettes sont encore meilleures quand on a laissé le riz gluant tremper toute une nuit — gorgé d'eau, il est alors extrêmement tendre.

Soupe de poulet à la citronnelle

Rapide • Très relevé   **Thom Ka Gai**

Pour 4 personnes:
2 tiges de citronnelle fraîche
5 cm de galanga frais (ci-dessous)
3 feuilles de citron vert (p. 58)
250 g de champignons chinois ou
de champignons de Paris
2 tomates moyennes
3 piments oiseaux frais
500 g de blanc de poulet cru
40 cl de lait de coco non sucré
quelques feuilles de coriandre
fraîche (p. 47)
4 c. à s. de jus de limette
(glossaire)
4 c. à s. de nam pla (sauce de
poisson thaïlandaise)

Temps de préparation: 30 mn

Par portion: 680 kJ/160 kcal

1 Lavez la citronnelle et coupez-la en tronçons d'environ 3 cm de long. Lavez le galanga, épluchez-le et coupez-le en fines tranches. Lavez les feuilles de citron vert, égouttez-les (coupez-les éventuellement en quatre).

2 Nettoyez et grattez les champignons puis coupez-les en morceaux — laissez les petits entiers. Lavez les tomates, coupez-les en quatre et enlevez-en le pédoncule. Lavez les piments, ôtez-en graines et membranes et coupez-les en fines rondelles. Lavez-vous les mains très soigneusement (le piment brûle gravement les yeux)! Coupez le blanc de poulet en bâtonnets d'environ 1 cm de large et 4 cm de long.

3 Faites chauffer le lait de coco dans une casserole. Ajoutez-y la citronnelle et les feuilles de citron vert, ainsi que les tranches de galanga, et faites cuire à découvert, sur feu moyen, pendant 2 minutes. Ajoutez 75 cl d'eau, laissez chauffer, puis ajoutez le blanc de poulet, les champignons et les tomates. Laissez cuire à feu doux pendant encore environ 5 minutes. Retirez, si vous le désirez, les morceaux de citronnelle et de galanga. (Le galanga ne se mange pas, mais vous pouvez goûter à la citronnelle.) Lavez la coriandre, égouttez-la et effeuillez-la.

4 Mettez les rondelles de piment, le jus de limette et la sauce de poisson dans une soupière. Versez la soupe par-dessus, garnissez de coriandre.

Le galanga

Le galanga, qu'on appelle aussi «gingembre thaï» et qui est souvent confondu avec le gingembre, a, en fait, des racines plus grosses et plus claires que celles du gingembre, avec une pointe rosée. On l'appelle aussi «laos» ou «alpinie». Les Thaïs apprécient cette racine à l'arôme léger — qui fait penser à une plante médicinale — dans les soupes et les *curries*. De fait, le galanga est un stimulant de la digestion, employé également en cas de maladie des voies respiratoires et de douleurs d'estomac. Lorsqu'ils l'utilisent comme médicament, les Thaïs en

Le galanga est très parfumé et il possède de nombreuses vertus.

râpent les racines qu'ils mélangent avec du jus de citron. C'est, selon eux, un remède miracle. On trouve des racines de galanga dans les magasins d'alimentation asiatique. À défaut, et bien que le goût en soit différent, on peut les remplacer par du gingembre. Quand vous en trouvez, n'hésitez pas à en acheter de grosses quantités: elles se conservent bien au freezer.

Soupe de nouilles à la viande

Plat de fête • Assez long **Guai Thiau Naam Muh Deng**

Pour 4 à 6 personnes:
3 ou 4 brins de coriandre fraîche
(p. 47)
1 c. à c. de poivre noir fraîchement
moulu
2 c. à s. de ketchup
1 c. à s. de sucre
2 c. à s. de nam pla (sauce de
poisson thaïlandaise)
quelques gouttes de colorant
alimentaire rouge
3 gousses d'ail
1 c. à s. d'huile + un peu pour
la cuisson au four
500 g de filet de porc
150 g de nouilles de riz (glossaire)
200 g de germes de soja
1,5 l de bouillon de bœuf maison
ou autre

Pour l'assaisonnement
(au choix et par personne):
1 pincée de piment en poudre
1 c. à c. de vinaigre de riz ou, à
défaut, de vinaigre de cidre
1 c. à c. de sucre de palme ou, à
défaut, de sucre roux
1 c. à s. de cacahuètes pilées

Temps de préparation: 1 h
(+ 2 h de marinade)

Par portion (pour 6 personnes,
sans l'assaisonnement):
2 000 kJ/480 kcal

1 Lavez, séchez et effeuillez la coriandre. Mettez les feuilles de côté, dans un sachet en plastique fermé. Écrasez-en les tiges, avec le poivre, dans un mortier, puis mettez-les, avec le ketchup, le sucre, le nam pla et le colorant, dans un récipient. Mélangez bien le tout. Pelez l'ail et hachez-le menu. Mettez l'huile dans une poêle, faites-y revenir l'ail, sur feu moyen, pendant environ 2 minutes, jusqu'à ce qu'il soit doré. Réservez-le.

2 Passez le filet de porc sous l'eau froide, égouttez-le, parez-le puis coupez-le en deux dans le sens de la longueur. Piquez plusieurs fois chaque moitié avec les dents d'une fourchette. Badigeonnez-les de marinade au ketchup, mettez-les dans un récipient à couvercle et laissez mariner au moins 2 heures au réfrigérateur.

3 Préchauffez le four à 200 °C (th. 6). Posez sur la plaque, à mi-hauteur, une feuille d'aluminium huilée. Posez dessus la viande marinée aspergée d'huile. Laissez cuire pendant 15 à 20 minutes, selon l'épaisseur du filet.

4 Pendant ce temps, jetez les nouilles dans l'eau bouillante, laissez-les cuire 3 minutes, égouttez-les, secouez-les et passez-les rapidement sous l'eau froide. Répartissez-les dans 4 à 6 bols.

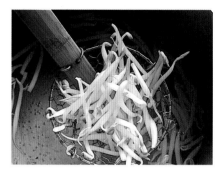

5 Faites bouillir de l'eau dans une casserole, faites-y blanchir les germes de soja pendant environ 1 minute (à gros bouillons), égouttez-les puis répartissez-les dans les bols, par-dessus les nouilles.

6 Préparez ou faites chauffer le bouillon de bœuf. Sortez la viande du four et découpez-la en tranches d'environ 0,5 cm d'épaisseur, perpendiculairement à la fibre. Posez les tranches dans les bols, sur les germes de soja. Versez le bouillon chaud par-dessus. Ajoutez l'ail et la coriandre. Chacun des convives assaisonnera sa soupe selon ses goûts, avec, au choix, 1 pincée de piment en poudre, 1 c. à c. de vinaigre de riz, 1 c. à c. de sucre ou 1 c. à s. de cacahuètes pilées.

Note: Les Thaïs aiment manger leurs plats tièdes. Vous pouvez, quant à vous, garder les bols au chaud, dans le four, pendant toute la préparation.

Soupe piquante aux crevettes

Facile • Très relevé **Tom Yam Gung**

Pour 4 personnes:
560 g de crevettes crues entières, de taille moyenne
1 pied de coriandre fraîche avec ses racines (p. 47)
½ c. à c. de grains de poivre noir
300 g de champignons de Paris
3 feuilles de citron vert (p. 58)
2 tiges de citronnelle fraîche
5 cm de galanga frais (p. 52)
4 piments oiseaux frais
4 c. à s. de jus de limette (glossaire)
4 c. à s. de nam pla (sauce de poisson thaïlandaise)

Temps de préparation: 45 mn

Par portion: 550 kJ/130 kcal

1 Enlevez aux crevettes la tête et les écailles, sauf celles de la queue. Incisez-leur le dos dans le sens de la longueur et retirez-en le boyau noir.

2 Faites bouillir, dans un faitout, dans 1,5 litre d'eau, les têtes et les écailles. Lavez la coriandre, coupez-en les racines et pilez-les au mortier, avec les grains de poivre. Effeuillez la coriandre et réservez-en les feuilles. Incorporez le mélange pilé au bouillon de crevettes et faites cuire, sur feu moyen, pendant environ 5 minutes. Passez le tout au chinois et réservez le bouillon.

3 Nettoyez les champignons, passez-les rapidement sous l'eau et coupez les plus gros en deux. Lavez les feuilles de citron et la citronnelle. Coupez les tiges de citronnelle en tronçons de 3 cm de long. Hachez le tout sur une planche. Réservez. Lavez, épluchez et émincez la racine de galanga.

4 Lavez les piments, ôtez-en graines et membranes et coupez-les en fines rondelles. Pilez-les au mortier, avec le jus de limette et la sauce de poisson, et répartissez le mélange dans des bols. Lavez-vous soigneusement les mains (le piment brûle les yeux)!

5 Faites chauffer, dans le faitout, le bouillon de crevettes additionné de la citronnelle, des feuilles de citron et des tranches de galanga, pendant environ 2 minutes, sur feu moyen. Ajoutez-y les crevettes et les champignons, mettez un couvercle sur la poêle et laissez cuire à feu doux pendant environ 3 minutes. Vous pouvez retirer de la soupe la citronnelle, les feuilles de citron et le galanga — certains préfèrent y laisser la citronnelle et les feuilles de citron.

6 Ajoutez à la soupe le mélange pimenté, versez-la dans des bols, garnissez de coriandre. Servez.

Soupe poisson-lait de coco

Sud de la Thaïlande • Facile

Tom Plaah Gati Sod

Pour 4 à 6 personnes:
500 g de filet de poisson (saumon,
cabillaud ou perche)
6 c. à s. de nam pla (sauce de
poisson thaïlandaise)
½ c. à c. de poivre noir fraîchement
moulu
5 cm de galanga frais (p. 52)
6 feuilles de citron vert (p. 58)
3 tiges de citronnelle fraîche
3 brins de coriandre fraîche (p. 47)
5 piments oiseaux frais
80 cl de lait de coco non sucré
4 c. à s. de jus de limette
(glossaire)

Temps de préparation: 30 mn

Par portion (pour 6 personnes):
630 kJ/150 kcal

1 Passez le filet de poisson sous l'eau froide, égouttez-le et coupez-le en morceaux de taille moyenne. Faites-les mariner dans 2 c. à s. de sauce de poisson, avec le poivre, environ 20 minutes, au réfrigérateur, dans un récipient couvert.

2 Pendant ce temps, lavez la racine de galanga, les feuilles de citron et la citronnelle. Épluchez le galanga et coupez-le en fines rondelles. Égouttez les feuilles de citron et coupez-les en quatre. Coupez la citronnelle en tronçons d'environ 3 cm de long, Lavez, égouttez et hachez finement la coriandre. Lavez les piments, ôtez-en graines et membranes, coupez-les en rondelles. Lavez-vous soigneusement les mains (le piment brûle les yeux)!

3 Versez le lait de coco dans une casserole, ajoutez-lui la citronnelle, le galanga et les feuilles de citron. Faites chauffer. Ajoutez les morceaux de poisson et le reste de la sauce de poisson. Laissez cuire le tout pendant environ 2 minutes, sur feu moyen. Versez dans une soupière, ajoutez le jus de limette, les rondelles de piment et les feuilles de coriandre. Mélangez bien.

4 Enlevez le galanga et, le cas échéant, la citronnelle et les feuilles de citron vert.

Variante: Vous pouvez agrémenter cette soupe de 300 g de shiitakés *(glossaire):* lavez-les, coupez-les en morceaux de taille moyenne et faites-les cuire avec les morceaux de filet de poisson.

Soupe au bœuf pimentée

Un peu long • Très parfumé

Tom Saeb Nua

Pour 4 à 6 personnes:
2 tiges de citronnelle fraîche
6 feuilles de citron vert (ci-dessous)
5 cm de galanga frais (p. 52)
500 g de viande de bœuf (épaule)
6 piments oiseaux frais
50 bai grapau (feuilles de basilic - p. 71)
300 g de champignons de Paris
2 tomates de taille moyenne
5 c. à s. de nam pla (sauce de poisson thaïlandaise)
4 c. à s. de jus de limette (glossaire)
½ c. à c. de piment en poudre

Temps de préparation: 45 mn (+ 1 h 30 de cuisson)

Par portion (pour 6 personnes): 620 kJ/140 kcal

1 Lavez la citronnelle, les feuilles de citron et la racine de galanga. Coupez les tiges de citronnelle en tronçons d'environ 3 cm de long. Découpez le galanga en fines rondelles, égouttez les feuilles de citron et coupez-les en quatre.

2 Passez rapidement la viande sous l'eau, épongez-la soigneusement, parez-la et coupez-la en morceaux de taille moyenne. Faites chauffer 1,5 litre d'eau dans un faitout, mettez-y la viande, la citronnelle, le galanga et les feuilles de citron vert. Laissez cuire le tout pendant 1 heure 15, à feu moyen et à découvert.

3 Pendant ce temps, lavez les piments, ôtez-en graines et racines, posez-les sur une planche à découper et hachez-les, ou pilez-les au mortier. Lavez les feuilles de basilic et égouttez-les. Brossez les champignons, passez-les rapidement sous l'eau et coupez-les en quatre. Lavez les tomates, coupez-les en quatre et retirez-en le pédoncule.

4 Lorsque la viande est tendre, ajoutez au contenu du faitout les champignons, les quartiers de tomate et la sauce de poisson. Laissez chauffer à feu moyen pendant encore 2 minutes. Versez la soupe dans une grande soupière. Ajoutez le jus de limette, les piments, le piment en poudre et les feuilles de basilic. Mélangez et servez immédiatement.

Feuilles de citron vert et citronnelle

Les feuilles brillantes et vert sombre du citronnier (citron vert) donnent une saveur particulière aux mets thaïlandais. Elles accompagnent la cuisson, ou bien, finement hachées, garnissent le plat sur table.
La citronnelle est une herbe qui ressemble à un roseau et atteint parfois 1 mètre de haut. Elle n'a rien à voir avec le citron dont elle a pourtant tiré son nom — quand on

En Thaïlande, la citronnelle (au premier plan) est vendue en bottes.

l'arrache, elle dégage un parfum qui rappelle celui de l'agrume. Les Thaïs utilisent la citronnelle pour guérir les aigreurs d'estomac et les rhumes. On trouve la citronnelle et les feuilles de citron vert — généralement importées de Thaïlande — dans les magasins asiatiques. Faites-en provision: toutes deux se conservent longtemps au freezer!

Soupe piquante au tamarin

Geng Som Tua Fak Jao

Pour 4 à 6 personnes:
6 gros piments forts séchés
3 échalotes
3 racines de krachaï fraîches
(glossaire)
1 c. à c. de sel
1 c. à s. de pâte de crevettes
2 noix de pulpe de tamarin
400 g de crevettes crues entières,
de taille moyenne
300 g de haricots longs chinois ou,
à défaut, de haricots verts
3 c. à s. de nam pla (sauce de
poisson thaïlandaise)
2 c. à s. de sucre de palme ou,
à défaut, de sucre roux

Temps de préparation: 45 mn

Par portion (pour 6 personnes):
390 kJ/93 kcal

1 Coupez les piments dans le sens de la longueur, ôtez-en membranes et graines et laissez-les ramollir environ 5 minutes dans l'eau tiède. Pelez les échalotes et hachez-les menu. Lavez les racines de krachaï et coupez-les en fines rondelles. Sortez les piments de l'eau et pressez-les pour en faire sortir l'eau, puis pilez-les au mortier, avec le sel. Lavez-vous soigneusement les mains (le piment brûle les yeux)! Écrasez la pâte de crevettes, les échalotes et les rondelles de krachaï jusqu'à obtention d'une pâte.

2 Placez la pulpe de tamarin dans un petit bol et recouvrez-le d'eau tiède, couvrez et laissez ramollir pendant environ 10 minutes. Ensuite, écrasez la pulpe dans l'eau — un jus velouté en sort. Retirez les pépins et les parties dures, puis filtrez le tout au tamis.

3 Enlevez les têtes des crevettes, décortiquez-les, incisez-leur le dos et retirez-leur le boyau noir. Lavez les haricots, coupez-les en tronçons d'environ 4 cm de long. Portez à ébullition 1,25 litre d'eau dans un faitout, ajoutez la pâte de piment (attention à vos yeux!), la sauce de poisson, le sucre de palme, 3 c. à s. de jus de tamarin, puis les haricots et les crevettes et laissez bouillir pendant 2 minutes. Rectifiez l'assaisonnement à votre convenance avec du sucre de palme et le reste du jus de tamarin — ce sont eux qui donnent à la soupe sa saveur aigre-douce caractéristique.

Variante: Vous pouvez remplacer les haricots par d'autres légumes tels que le raifort ou le chou chinois.

Note: La krachaï est une sorte de gingembre, qui est en fait plus doux que le gingembre et le galanga. Au cas où vous ne pourriez pas trouver de racine de krachaï fraîche, utilisez des tranches de krachï séchées.

Soupe aux concombres farcis

Facile • Très relevé

Tom Djut Teng Kwah

Pour 4 personnes:
15 gousses d'ail
3 tiges de coriandre fraîche
avec les racines
½ c. à c. de poivre noir fraîchement
moulu
1 c. à c. de sel
1 c. à s. de sauce de soja claire
300 g de viande hachée
(porc et bœuf mélangés)
4 c. à s. d'huile
1 gros concombre
3 c. à s. de nam pla (sauce de
poisson thaïlandaise)

Temps de préparation: 45 mn

Par portion: 1 200 kJ/290 kcal

1 Pelez l'ail. Lavez et égouttez la coriandre puis hachez-en finement les racines et grossièrement les feuilles et la tige. Réservez. Pilez au mortier 5 gousses d'ail avec un peu de sel et de poivre. Mélangez la moitié de cette pâte d'ail ainsi que la sauce de soja et la racine de coriandre avec la viande hachée et laissez mariner dans un récipient couvert, au réfrigérateur, pendant environ 15 minutes.

2 Pendant ce temps, hachez menu les 10 gousses d'ail restantes et faites-les dorer dans l'huile, dans une poêle, sur feu moyen, pendant près de 3 minutes. Réservez.

3 Épluchez le concombre et coupez-le en quatre tronçons. Retirez-en les pépins avec le manche d'une cuiller en bois et remplissez les 4 tronçons ainsi évidés de viande hachée marinée. Croisez 2 cure-dents à chaque bout des tronçons pour maintenir la farce.

4 Faites chauffer, dans un faitout, 1 litre d'eau additionnée du reste de pâte d'ail et de coriandre et de la sauce de poisson. Ajoutez les quarts de concombre et faites-les cuire, à découvert, sur feu moyen, pendant environ 7 minutes. Retirez les cure-dents, saupoudrez de coriandre hachée, d'ail et d'un peu de poivre noir fraîchement moulu. Servez.

VIANDE, LÉGUMES, RIZ ET NOUILLES

J usqu'au milieu du XIXe siècle, les Thaïs mangeaient, tout comme les Indiens et les Birmans, avec les doigts de la main droite, dite «main propre». Les ingrédients des plats étaient alors déjà émincés — technique qui a aussi l'avantage de permettre une cuisson rapide et un mélange intime de la viande, du poisson et des légumes avec la sauce et les épices. Pour ce qui est de la viande, chaque consommateur la choisit, évidemment, en fonction de son appartenance religieuse: la plupart des hindouistes excluent le bœuf, les musulmans rejettent le porc, et les Thaïs, qui n'apprécient guère l'agneau et le mouton, préfèrent le bœuf et le porc — dont ils considèrent même les oreilles, les pieds et certains abats comme des morceaux de choix. Quant au veau, il est très rare. En Thaïlande, la profusion de légumes est telle qu'un bon nombre de mets allient viande et légumes. Bien souvent également, un même plat combine plusieurs légumes en un harmonieux contraste de saveurs et de couleurs. Les légumes crus ou blanchis, servis avec diverses sauces, les *nam priks (pages 35, 36, 37)*, sont souvent ciselés comme de véritables œuvres d'art *(page 97)*. Tous les plats, sauf ceux à base de riz ou de nouilles, évidemment, sont servis accompagnés d'un plat de riz thaï très parfumé.

Bœuf à la sauce d'huîtres

Plat de fête • Facile **Na Pad Nam Manhoy**

Pour 4 personnes:
500 g de filet de bœuf
½ c. à c. de poivre noir du moulin
2 c. à s. de sauce de soja foncée
1 c. à s. de farine
5 tongkus séchés (glossaire)
300 g de shiitakés (glossaire)
2 ciboules • 4 gousses d'ail
1 gros piment rouge frais
1 morceau (4 cm) de gingembre frais
3 c. à s. d'huile
5 c. à s. de sauce d'huîtres (glossaire)
1 c. à s. de nam pla (sauce de poisson thaïlandaise)
1 c. à c. de sucre
4 c. à s. de vin de riz

Temps de préparation: 1 h 15

Par portion: 1 500 kJ/360 kcal

1 Passez la viande à l'eau froide, égouttez-la, parez-la et coupez-la en cubes d'environ 1 cm. Mélangez avec le poivre, la sauce de soja et la farine. Laissez mariner au réfrigérateur, dans un récipient couvert, pendant 1 heure.

2 Pendant ce temps, lavez les tongkus et faites-les ramollir pendant environ 20 minutes dans de l'eau chaude.

3 Lavez les shiitakés et coupez-les grossièrement. Nettoyez les ciboules, lavez-les, coupez-les en tronçons d'environ 3 cm de long. Lavez le piment, coupez-le en deux dans le sens de la longueur, ôtez-en membranes et graines, puis émincez-le en lamelles. Lavez-vous soigneusement les mains.

Pelez et hachez menu l'ail et le gingembre.

4 Égouttez soigneusement les tongkus en les pressant puis coupez-les en quatre. Faites chauffer l'huile à feu vif dans la poêle ou un wok. Faites-y revenir, à feu vif, l'ail, le gingembre et la viande, en remuant constamment, pendant 5 minutes. Baissez le feu, incorporez tous les champignons, les ciboules, les sauces d'huîtres et de poisson, ainsi que le sucre, et laissez cuire sur feu moyen pendant environ 2 minutes.

5 Incorporez le vin de riz au plat, garnissez avec les lamelles de piment. Servez.

Bœuf au curry

Sud de la Thaïlande • Relevé **Gueng Massaman**

Pour 4 personnes:
500 g de bœuf à braiser
4 pommes de terre moyennes à chair ferme • 2 oignons moyens
40 cl de lait de coco non sucré
3 c. à s. de pâte de curry massaman (p. 28)
4 c. à s. de sucre de palme ou, à défaut, de sucre roux
4 c. à s. de sauce de poisson
2 c. à s. de jus de limette (glossaire)
3 c. à s. de cacahuètes grillées salées
2 feuilles de laurier

Temps de préparation: 1 h 45 (+ 25 mn pour la pâte de curry)

Par portion: 1 500 kJ/360 kcal

1 Lavez la viande sous l'eau froide, égouttez-la, parez-la, coupez-la en dés réguliers d'environ 2 cm. Épluchez les pommes de terre et coupez-les en quatre, pelez les oignons et coupez-les en deux.

2 Prélevez, dans la boîte de lait de coco, 5 c. à s. du liquide épais qui flotte à la surface, versez-les dans un faitout et faites-les bouillir. Incorporez-leur la pâte de curry massaman et laissez chauffer pendant environ 1 minute. Ajoutez les dés de viande, le reste du lait de coco, le sucre de palme, la sauce de poisson, le jus de limette, les cacahuètes, les feuilles de laurier et 0,5 litre d'eau.

3 Laissez cuire les dés de viande dans ce mélange, à feu doux, pendant 50 minutes, en couvrant à moitié. Ajoutez ensuite les pommes de terre et les oignons et laissez cuire encore pendant 20 minutes, à feu doux.

4 Enlevez les feuilles de laurier et servez.

Variante: Vous pouvez remplacer les 500 g de bœuf par 750 g de poulet (blanc ou cuisses). Le temps de cuisson est alors plus court: il est, au total, de 50 minutes.

Bœuf au poivre vert

Facile • Très relevé

Pad Na Prik Thai Oon

Pour 4 personnes:
500 g de filet de bœuf
2 c. à s. de sauce de soja claire
½ c. à c. de poivre noir fraîchement moulu
1 poivron rouge
150 g de poivre vert frais
5 c. à s. d'huile
2 c. à s. de pâte de curry rouge (p. 26)
3 c. à s. de nam pla (sauce de poisson thaïlandaise)
2 c. à s. de sucre

*Temps de préparation: 30 mn
(+ 25 mn pour la pâte de curry)*

Par portion: 1 200 kJ/290 kcal

1 Passez le filet de bœuf sous l'eau et épongez-le. Coupez-le en lamelles d'environ 4 x 1 cm. Mélangez-le à la sauce de soja et au poivre puis laissez-le mariner au réfrigérateur, non recouvert, pendant environ 15 minutes.

2 Pendant ce temps, lavez le poivron, ôtez-en membranes et graines et coupez-le en quatre, puis en lamelles. Lavez le poivre vert en prenant soin que les grains restent sur la tige. Coupez ces tiges en morceaux d'environ 3 cm de long.

3 Faites chauffer l'huile dans une poêle ou un wok. Faites-y revenir la pâte de curry rouge, sur feu moyen.

Ajoutez viande, poivre vert, lamelles de poivron, sauce de poisson et sucre, plus un peu d'eau. Remuez le tout, sur feu moyen, pendant environ 3 minutes.

Note: Vous pouvez, pour atténuer le feu du curry, ajouter à ce plat 2 c. à s. de crème de coco (la couche épaisse qui flotte dans la boîte). Si vous désirez, au contraire, souligner ce goût épicé, vous pouvez servir, à côté du bœuf, des piments au vinaigre *(page 32)*.

Bœuf aux haricots verts

Facile • Très relevé

Pad Phet Tua Fak Jao

Pour 4 à 6 personnes:
400 g de jarret de bœuf
2 c. à s. de sauce de soja claire
½ c. à c. de poivre noir fraîchement
moulu
5 c. à s. de crevettes séchées
300 g de haricots longs chinois ou,
à défaut, de haricots verts
5 feuilles de citron vert (p. 58)
5 c. à s. d'huile
2 c. à s. de pâte de curry rouge
(p. 26)
2 c. à s. de nam pla (sauce de
poisson thaïlandaise)
3 c. à s. de sucre

Temps de préparation: 30 mn
(+ 15 mn de marinade
+ 25 mn pour la pâte de curry)

Par portion
(pour 6 personnes):
1 100 kJ/260 kcal

1 Passez la viande sous l'eau, épongez-la, parez-la et découpez-la, perpendiculairement à la fibre, en lamelles d'environ 4 cm de long sur 1 cm de large. Mélangez-la avec la sauce de soja et le poivre, puis laissez mariner au réfrigérateur, dans un récipient couvert, pendant environ 15 minutes. Pendant ce temps, broyez les crevettes au mortier ou hachez-les menu au mixeur. Réservez-les.

2 Faites bouillir 1 litre d'eau dans un grand faitout. Lavez les haricots, coupez-les en tronçons d'environ 4 cm de long. Lavez les feuilles de citron vert, roulez-les dans le sens de la longueur et coupez-les en étroites lamelles. Jetez les haricots dans l'eau bouillante. Laissez-les blanchir pendant environ 1 minute, puis versez-les dans une passoire et rafraîchissez-les sous l'eau froide.

3 Faites chauffer l'huile dans une poêle ou un wok, à feu très vif. Faites-y revenir les lamelles de bœuf pendant 2 minutes, sur feu vif, puis baissez le feu. Ajoutez la pâte de curry rouge, les crevettes, les haricots, la sauce de poisson et le sucre, puis faites cuire le tout, à feu moyen, pendant environ 4 minutes. Remuez de temps en temps. Mettez sur un plat et parsemez de lamelles de feuilles de citron.

Variante: Vous pouvez évidemment remplacer le bœuf par du porc ou du blanc de poulet.

Note: Vous pouvez couper les haricots longs chinois en tronçons de 8 cm que vous ferez blanchir et refroidir normalement, puis que vous nouerez *(voir photo page 37)*. Effet garanti!

Bœuf au curry jaune

Sud de la Thaïlande • Relevé   Gueng Garrieh Na

Pour 4 à 6 personnes:
4 pommes de terre moyennes à
chair ferme
600 g de bœuf à braiser
15 échalotes
40 cl de lait de coco non sucré
2 c. à s. de pâte de curry jaune
(p. 28)
3 c. à s. de nam pla (sauce de
poisson thaïlandaise)
160 g de sucre
1 concombre moyen
1 gros piment rouge
12,5 cl de vinaigre de riz ou, à
défaut, de vinaigre de cidre
1 c. à c. de sel
10 c. à c. d'huile

Temps de préparation: 2 h
(+ 25 mn pour la pâte de curry)

Par portion (pour 6 personnes):
2 000 kJ/480 kcal

1 Épluchez les pommes de terre. Passez la viande sous l'eau froide et épongez-la. Coupez le bœuf et les pommes de terre en dés d'environ 2 cm. Épluchez les échalotes, coupez-les d'abord en deux, puis en tranches.

2 Prélevez, dans la boîte de lait de coco, 4 c. à s. du liquide épais qui flotte en surface, versez-les dans un faitout et faites-les bouillir. Incorporez-leur la pâte de curry, en remuant, laissez cuire pendant 2 minutes, à feu doux. Ajoutez-leur la viande. Montez le feu, incorporez, petit à petit, le reste du lait de coco, puis ajoutez 0,5 litre d'eau.

3 Ajoutez ensuite la sauce de poisson et 1 c. à s. de sucre, puis laissez cuire à feu doux, en couvrant à moitié, pendant environ 50 minutes. Ajoutez les dés de pomme de terre et laissez cuire encore, à feu doux, pendant 30 minutes.

4 Pendant ce temps, épluchez et lavez le concombre, coupez-le dans le sens de la longueur puis en fines rondelles. Lavez le piment, ôtez-en graines et membrane et coupez-le en fines rondelles. Lavez-vous ensuite soigneusement les mains (le piment provoque de graves brûlures aux yeux). Mettez 3 c. à s. d'échalotes, les rondelles de piment et les tranches de concombre dans un bol. Faites chauffer le vinaigre, 150 g de sucre et du sel dans une petite casserole, laissez bouillir, mélangez et laissez refroidir.

5 Faites chauffer de l'huile dans une poêle, ajoutez le reste des échalotes et laissez-les dorer à feu vif, en remuant constamment. Jetez l'huile et réservez les échalotes.

6 Disposez le curry de bœuf cuit sur un plat de service, éparpillez les échalotes dorées par-dessus. Versez la sauce au vinaigre sur la salade au concombre, dans le bol.

Notes: Le curry de bœuf jaune manque d'une composante douce. C'est la raison pour laquelle on sert en même temps une salade aigre-douce. Vous pouvez remplacer le bœuf par des cuisses de poulet.

Bœuf au curry vert

Bangkok • Très relevé **Gueng Kiau Van Na**

Pour 4 à 6 personnes:
500 g de filet de bœuf
½ c. à c. de sel
½ gros piment rouge
½ gros piment vert
4 aubergines thaïlandaises (soit
environ 200 g - glossaire)
50 feuilles de bai horapha
(basilic - p. 71)
40 cl de lait de coco non sucré
2 c. à s. de pâte de curry verte
(p. 26)
4 c. à s. de nam pla (sauce de
poisson thaïlandaise)
3 c. à s. de sucre de palme ou,
à défaut, de sucre roux

Temps de préparation: 30 mn
(+ 25 mn pour la pâte de curry)

Par portion (pour 6 personnes):
800 kJ/190 kcal

1 Passez la viande sous l'eau, épongez-la, parez-la et coupez-la, perpendiculairement à la fibre, en lamelles d'environ 4 cm de long. Salez-la. Lavez les moitiés de piments, ôtez-en graines et membranes et coupez-les en lamelles.

2 Lavez les aubergines, coupez-les en quatre dans le sens de la longueur, retirez-en le pédoncule, coupez-les en dés de 2 cm et mettez-les dans l'eau. Lavez et égouttez les feuilles de basilic.

3 Prélevez, dans la boîte de lait de coco, 4 c. à s. du liquide épais qui flotte à la surface, versez-les dans un faitout et laissez-les bouillir pendant environ 1 minute, puis ajoutez-y la pâte de curry verte, la viande de bœuf et le reste du lait de coco. Versez 10 cl d'eau

dans la boîte de lait de coco, remuez puis versez le liquide ainsi obtenu dans le faitout. Laissez cuire le tout à feu moyen pendant environ 3 minutes.

4 Égouttez les dés d'aubergine. Ajoutez-les dans le faitout, ainsi que les lamelles de piment, la sauce de poisson et le sucre, à la viande et laissez cuire environ 2 minutes. Parsemez de feuilles de basilic et servez chaud.

Variante: Vous pouvez remplacer les aubergines par des pousses de bambou en boîte (54 cl). Lavez les pousses de bambou puis coupez-les en fines lamelles. Le temps de cuisson reste le même.

Le basilic

La cuisine thaïlandaise fait appel à trois sortes de basilic appartenant tous à la même famille de plantes: le *bai horapha (ocimum basilicum),* le *bai grapau (ocimum sanctum)* et le *bai manglak (ocimum carnum).* Le plus souvent, les Thaïs utilisent le *bai horapha,* qui a plus de goût que notre basilic européen, et dont le parfum rappelle celui de l'anis. Il est cependant possible de remplacer le *bai horapha* par du basilic européen. Ce sont les hindous qui introduisirent l'*ocimum sanctum* (ou «basilicum saint») en Thaïlande, où on l'appelle *bai grapau.* Il présente une tige rougeâtre tirant sur le violet et parfois ses feuilles et ses fleurs

Pas de vraie cuisine thaïlandaise sans bai horapha *(en bas) ni* bai grapau!

sont également colorées. Le *bai grapau* possède un arôme particulièrement puissant, légèrement pharmaceutique. Le *bai manglak,* qui a des feuilles veloutées, convient tout aussi bien aux *curries* qu'aux salades ou aux soupes. Il convient, pour chaque mets, d'utiliser le basilic adéquat — celui indiqué dans la recette. Vous pouvez semer ces trois types de basilic dans un bac à fleurs; la semence se trouve dans les magasins asiatiques; on peut aussi l'acheter par correspondance, sur des catalogues spécialisés.

Brochettes au saté

Mu Saté

Pour 4 personnes:
500 g de filet de porc
2 cm de galanga frais (p. 52)
1 tige de citronnelle fraîche
1 c. à c. de graines de coriandre
(p. 47)
1 c. à c. de graines de cumin
½ c. à c. de sel
½ c. à c. de poivre noir fraîchement
moulu
100 g de sucre
1 c. à s. de poudre de curry
(glossaire)
40 cl de lait de coco non sucré
1 concombre
5 échalotes
1 gros piment rouge frais
12,5 cl de vinaigre de riz ou, à
défaut, de vinaigre de cidre

Pour l'assaisonnement:
un peu de vinaigre de riz
un peu de sucre

Pour accompagner le plat:
1 bol de sauce saté (p. 35)

Temps de préparation: 1 h
(+ 1 h de marinade
+ 25 mn pour la sauce saté)

Par portion: 2 100 kJ/500 kcal

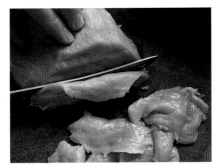

1 Passez la viande sous l'eau froide, épongez-la et coupez-la en fines tranches puis en lamelles d'environ 10 x 3 cm, perpendiculairement à la fibre. Faites tremper 40 brochettes en bois dans l'eau pour qu'elles ne brûlent pas trop facilement lorsque vous les placerez sur le gril.

2 Pelez le galanga et hachez-le menu, lavez la citronnelle et coupez-la en fines tranches. Pilez-la au mortier, avec les graines de coriandre et de cumin. Mélangez le sel, le poivre, 1 c. à s. de sucre, la poudre de curry et 3 c. à s. du liquide épais qui, dans la boîte de lait de coco, flotte à la surface. Incorporez ensuite le porc à ce mélange.

3 Laissez mariner la viande de porc au réfrigérateur, dans un récipient couvert, pendant au moins 1 heure. Puis enfilez les lamelles, en accordéon, sur les brochettes humides.

4 Épluchez ou lavez soigneusement le concombre, coupez-le en quatre dans le sens de la longueur puis en tranches minces. Épluchez les échalotes puis émincez-les. Lavez le piment, ôtez-en graines et membranes puis coupez-le en fines rondelles. Réservez le tout. Lavez-vous soigneusement les mains.

5 Mélangez 12,5 cl d'eau avec le vinaigre, le reste de sucre et une pincée de sel, laissez cuire pendant 1 minute puis faites refroidir.

6 Juste avant de servir, mélangez, dans un bol, le concombre, les échalotes, le piment et la sauce au vinaigre; rectifiez l'assaisonnement avec du vinaigre et du sucre, afin de la rendre plus ou moins aigre-douce.

7 Placez les brochettes sur le gril et laissez-les cuire 3 minutes de chaque côté, ou bien faites-les cuire sous le gril du four pendant 15 minutes environ, jusqu'à ce qu'elles soient dorées. Servez avec une sauce saté tiède et avec le bol de concombre.

Variante: Remplacez le porc par du filet de bœuf ou du blanc de poulet.

Note: Dans les magasins asiatiques, on trouve un mélange d'épices pour saté (ou satay), et même de la sauce saté toute prête, en sachets.

Filet de porc à l'ananas

Plat de fête • Facile **Muh Ob Sapparot**

Pour 4 à 6 personnes:
4 tranches d'ananas (frais
ou en conserve)
800 g de filet de porc
1 c. à c. de sel
½ c. à c. de poivre noir fraîchement
moulu
1 c. à s. de farine
2 c. à s. de sauce de soja douce
2 c. à s. de sucre roux
2 c. à s. de vinaigre de riz ou, à
défaut, de vinaigre de cidre
10 c. à s. de jus d'ananas
3 c. à s. d'huile
2 feuilles de laurier
quelques feuilles de salade
2 tomates

Temps de préparation: 30 mn
(+ 1 h de marinade)

Par portion (pour 6 personnes):
1 500 kJ/360 kcal

1 Épluchez l'ananas frais, coupez-en 4 tranches d'environ 1 cm d'épaisseur et enlevez-en la partie centrale. (Ou bien égouttez 4 tranches d'ananas frais, en réservant le jus.) Passez le filet de porc sous l'eau froide, épongez-le, parez-le et découpez-le en tranches d'environ 1 cm d'épaisseur. Aplatissez légèrement les tranches et trempez-les dans un mélange fait de la sauce de soja, du sel, du poivre, de la farine, du sucre, du vinaigre et du jus d'ananas. Laissez mariner au réfrigérateur, dans un récipient couvert, pendant 1 heure.

2 Faites chauffer de l'huile dans une poêle ou un wok. Incorporez-y la viande, versez la marinade par-dessus et ajoutez les feuilles de laurier. Faites braiser à feu moyen, à couvert, pendant 3 minutes, puis retournez les tranches de viande et ajoutez celles d'ananas. Laissez cuire, à découvert, pendant

3 minutes, en remuant de temps en temps, jusqu'à ce que le liquide épaississe.

3 Lavez les feuilles de salade et égouttez-les. Lavez les tomates, coupez-les en quatre et enlevez-en le pédoncule.

4 Disposez les tranches d'ananas sur un plat de service. Ajoutez la viande et décorez avec les feuilles de salade et les tomates.

Variante: Le filet de bœuf convient aussi très bien à cette recette. Vous pouvez le cuire de la même manière; le temps de cuisson reste le même.

Note: Comme salade, choisissez de préférence une laitue pommée frisée.

Boulettes à l'aigre-doux

Pad Priau Van Lukschin Sapparot

Un peu délicat • Relevé

Pour 4 à 6 personnes:
5 gousses d'ail
½ c. à c. de poivre noir fraîchement moulu
1 c. à c. de sel
500 g de viande finement hachée (porc et bœuf mélangés)
1 petit ananas frais
½ poivron vert • ½ poivron rouge
3 c. à s. de nam pla (sauce de poisson thaïlandaise)
2 c. à s. de vinaigre de riz ou, à défaut, de vinaigre de cidre
3 c. à s. de sucre • 1 c. à c. de fécule
10 c. à s. d'huile

Temps de préparation: 45 mn

Par portion (pour 6 personnes):
1 800 kJ/430 kcal

1 Pelez l'ail, pilez-le au mortier, avec le sel et le poivre. Mélangez le tout avec la viande, malaxez soigneusement. Confectionnez 25 boulettes compactes d'un diamètre d'environ 2 cm.

2 Épluchez l'ananas, retirez-en bien les yeux, coupez-le dans le sens de la longueur, ôtez-en la partie centrale et découpez-le en fines tranches. Lavez les poivrons, ôtez-en membranes et graines, coupez-les en quatre puis en fines lamelles. Mélangez la sauce de poisson, le vinaigre de riz, 5 c. à s. d'eau, le sucre et la fécule dans un petit récipient.

3 Versez de l'huile dans une grande poêle ou un wok. Faites griller les boulettes de porc à feu moyen pendant environ 3 minutes en les retournant de temps à autre. Jetez l'huile, ajoutez les lamelles d'ananas et de poivron et faites cuire à feu vif pendant environ 1 minute. Ajoutez la sauce au vinaigre et au poisson, faites chauffer en remuant délicatement, pour que les boulettes s'imprègnent de sauce.

Note: Pour que les boulettes ne se défassent pas pendant la cuisson, il faut que la viande soit hachée très finement. Vous pouvez la hacher vous-même sur une planche.

Porc aux pousses de bambou

Facile • Relevé **Pad Phet Muh Sei Noh Mai**

Pour 4 à 6 personnes:
400 g de filet de porc
3 c. à s. de nam pla (sauce de poisson thaïlandaise)
½ c. à c. de poivre noir fraîchement moulu
1 boîte de pousses de bambou entières (54 cl)
½ poivron rouge • ½ poivron vert
5 c. à s. d'huile végétale
2 c. à s. de pâte de curry jaune (p. 28)
2 c. à s. de sucre

Temps de préparation: 30 mn
(+ 25 mn pour la pâte de curry)

Par portion (pour 6 personnes):
1 200 kJ/290 kcal

1 Coupez le porc en lamelles d'environ 1 cm de large sur 4 cm de long. Étalez sur la viande 1 c. à s. de sauce de poisson assaisonnée de poivre. Laissez mariner pendant environ 10 minutes.

2 Pendant ce temps, égouttez les pousses de bambou, passez-les sous l'eau froide et coupez-les en fines lamelles. Lavez les moitiés de poivrons, ôtez-en membranes et graines et coupez-les également en lamelles.

3 Faites chauffer l'huile dans une poêle ou dans un wok, faites-y cuire la viande à feu moyen pendant environ 2 minutes. Ajoutez la pâte de curry jaune et mélangez bien, en soulevant la viande. Ajoutez les pousses de bambou, le reste de sauce de poisson, les lamelles de poivron, le sucre et un peu d'eau. Laissez revenir le tout à feu vif pendant environ 2 minutes, en remuant continuellement.

Variante: Vous pouvez remplacer la viande de porc par du blanc de poulet ou du filet de bœuf.

Les pousses de bambou

Les racines d'une variété de bambou répandue en Thaïlande donnent naissance à des pousses de forme conique que les Thaïs coupent dès qu'elles atteignent 15 à 20 cm. Une fois qu'on leur a enlevé leur écorce brune ou noire, la chair d'un jaune blanchâtre qui est à l'intérieur apparaît; elle est comestible et très tendre sous la dent. On trouve des pousses de bambou fraîches dans les magasins asiatiques, mais elles ont une saveur forte; aussi la plupart des Européens leur

Les pousses de bambou sont coupées dès qu'elles atteignent 15 à 20 cm.

préfèrent-ils celles en boîte — veillez alors à ce qu'elles soient entières, donc plus croquantes et de meilleure qualité. Si vous n'utilisez pas d'un coup tout le contenu de la boîte, vous pourrez en conserver le reste au réfrigérateur pendant plus d'une semaine — une seule condition: mettez-le dans un récipient en verre et recouvrez-le chaque jour d'eau fraîche.

Riz aux crevettes

Plat de fête • Facile **Khao Pad Gung**

Pour 4 personnes:
500 g de crevettes crues entières, de
taille moyenne
2 c. à s. de sauce de soja claire
½ c. à c. de poivre noir du moulin
2 oignons moyens • 2 ciboules
3 gousses d'ail • 1 concombre
5 c. à s. d'huile
750 g de riz thaïlandais parfumé
cuit et refroidi (soit 250 g
de riz cru - p. 82)
3 c. à s. de nam pla (sauce de
poisson thaïlandaise)
2 c. à s. de ketchup
1 c. à c. de sucre

Temps de préparation: 40 mn
(+ 20 mn pour le riz)

Par portion: 1 900 kJ/450 kcal

1 Retirez la tête des crevettes et décortiquez-les en leur laissant les écailles de la queue. Incisez-leur le dos pour en retirer le boyau noir. Lavez-les, égouttez-les et laissez-les mariner environ 10 minutes dans la sauce de soja et le poivre.

2 Pendant ce temps, pelez les oignons et émincez-les. Lavez les ciboules, coupez-les en deux dans le sens de la longueur puis en tronçons d'environ 3 cm. Pelez l'ail et hachez-le menu. Lavez le concombre et coupez-le en tranches d'environ 0,5 cm d'épaisseur.

3 Faites chauffer de l'huile dans une grande poêle ou un wok et faites-y revenir l'ail à feu moyen, pendant

environ 2 minutes, jusqu'à ce qu'il soit doré. Ajoutez les crevettes et laissez cuire à feu vif pendant 1 minute, jusqu'à ce qu'elles deviennent rouge clair. Incorporez l'oignon et laissez encore cuire pendant 1 minute.

4 Ajoutez le riz, la ciboule, la sauce de poisson, le ketchup et le sucre, et faites cuire le tout à feu vif pendant encore 2 minutes. Remuez de temps à autre, rectifiez l'assaisonnement avec la sauce de poisson et répartissez le contenu de la poêle dans les assiettes décorées de rondelles de concombre.

Variante: Vous pouvez remplacer les crevettes par 300 g de grillade de porc ou de blanc de poulet émincés.

Curry des trois amis

Plat de fête • Relevé **Gueng Ped Drei Mit**

Pour 4 à 6 personnes:
200 g de viande de porc
200 de bœuf à braiser
200 g de blanc de poulet
40 cl de lait de coco non sucré
2 c. à s. de pâte de curry massaman
(p. 28)
1 morceau (4 cm) de gingembre frais
2 têtes d'ail confit (p. 35)
4 c. à s. de nam pla (sauce de poisson
thaïlandaise)
3 c. à s. de sucre de palme

Temps de préparation: 1 h
(+ 25 mn pour la pâte de curry)

Par portion (pour 6 personnes):
880 kJ/210 kcal

1 Découpez, séparément, les viandes de porc et de bœuf et le blanc de poulet, en lamelles, perpendiculaires à la fibre, d'environ 1 x 4 cm.

2 Mettez dans un faitout 4 c. à s. du liquide épais qui flotte à la surface de la boîte de lait de coco, portez à ébullition et laissez mijoter, sur feu moyen, pendant 1 minute. Incorporez la pâte de curry et mélangez bien. Ajoutez la viande de bœuf, 12,5 cl d'eau, le reste du lait de coco et laissez encore mijoter à feu moyen pendant environ 30 minutes, en couvrant à moitié.

3 Pendant ce temps, épluchez la racine de gingembre et coupez-la en

fines lamelles. Pelez l'ail confit, coupez-le en rondelles et réservez-le.

4 Ajoutez dans le faitout les lamelles de blanc de poulet et de porc, la sauce de poisson et le sucre de palme et laissez mijoter à feu moyen pendant environ 10 minutes. Mettez le curry dans un plat de service et répartissez les rondelles d'ail ainsi que les lamelles de gingembre par-dessus.

Note: Si vous n'aimez pas l'ail confit ou si vous n'en avez pas, vous pouvez ajouter au curry 1 c. à s. de jus de citron avant la cuisson. Il aura ainsi non pas le goût d'ail mais la nuance légèrement acide que donne l'ail confit.

Riz aux fruits de mer

Facile • Parfumé **Khao Pad Talee**

Pour 4 personnes:
500 g de fruits de mer variés
(crevettes, encornets, filets de divers
poissons de mer) prêts à cuire
8 gousses d'ail • 3 ciboules
2 tomates moyennes
2 brins de coriandre fraîche
1 concombre • 5 c. à s. d'huile
750 g de riz thaïlandais parfumé
cuit et refroidi (soit 250 g de
riz cru - p. 82)
3 c. à s. de nam pla (sauce de
poisson thaïlandaise)
2 c. à s. de ketchup • 1 c. à c. de sucre

Pour accompagner le plat:
1 bol de sauce pimentée à la
coriandre (p. 30)

Temps de préparation: 25 mn
(+ 20 mn pour le riz
+ 15 mn pour la sauce pimentée
à la coriandre)

Par portion: 3 800 kJ/900 kcal

1 Lavez les fruits de mer et épongez-les bien. Pelez l'ail et hachez-le menu. Lavez les ciboules, coupez-les dans le sens de la longueur puis en tronçons d'environ 3 cm de long. Lavez les tomates et coupez-les en huit, enlevez-leur le pédoncule. Lavez la coriandre, égouttez-la et hachez-la grossièrement. Épluchez le concombre et coupez-le en tranches d'environ 0,5 cm d'épaisseur.

2 Faites chauffer l'huile dans une poêle ou un wok, puis faites-y revenir l'ail à feu moyen pendant environ 2 minutes, jusqu'à ce qu'il soit doré. Incorporez les fruits de mer et remuez la poêle pendant 2 minutes, à feu moyen. Ajoutez le riz, la sauce de poisson, le ketchup, les morceaux de tomate, la ciboule et le sucre.

Cuisez le tout environ 2 minutes sans cesser de remuer.

3 Disposez sur un plat de service, décorez avec les tranches de concombre et saupoudrez de coriandre. Servez avec une sauce pimentée à la coriandre.

Note: Le riz sauté est très apprécié en Thaïlande. On le trouve fraîchement cuit à tous les coins de rues, et il est préparé avec beaucoup d'imagination. Pour que le riz sauté ne colle pas, il faut, après la cuisson, le laisser refroidir complètement. Les plats à base de riz sauté sont d'une préparation très rapide, à condition, toutefois, de faire cuire la quantité de riz adéquate la veille.

Le riz

Le riz est à la fois la base et le cœur de l'alimentation thaïlandaise. En Thaïlande, «à table!» se dit *«gin khao!»* — ce qui signifie «mangeons le riz!» Le pays en produit des quantités énormes qui satisfont à sa demande interne mais font également de la Thaïlande le premier exportateur de riz au monde. Les rizières y sont particulièrement productives. La plaine centrale, sur les deux rives du fleuve Chao Phraya, en est couverte, mais cette culture est également répandue dans les autres régions — c'est elle qui imprime son rythme à la vie des paysans thaïlandais. Elle donne deux à trois récoltes par an. Dans les vallées centrales et dans

Cette femme Akha vanne le riz avec dextérité, pour le monder.

le sud de la Thaïlande, les habitants préfèrent le *khao hom*, «riz parfumé», qui porte parfaitement son nom mais est un peu plus cher que les autres. Il dégage, au moment de la cuisson, un arôme merveilleux. On le trouve dans les magasins d'alimentation asiatique.

Les Thaïs du Nord et du Nord-Est préfèrent, quant à eux, le *khao niau,* un riz au grain rond, dit «riz gluant», qui, dans le reste de la Thaïlande, entre surtout dans la fabrication de savoureux desserts tels que la Mangue au riz gluant *(page 132).*

Riz thaïlandais parfumé

Préparation de base • Rapide Khao Suay

Pour 4 personnes:
250 g de riz thaïlandais parfumé
environ 75 cl d'eau

Temps de préparation: 20 mn

Par portion: 910 kJ/220 kcal

1 Mettez le riz dans une passoire, rincez-le soigneusement sous l'eau froide puis versez-le dans un grand faitout. Ajoutez assez d'eau pour en recouvrir le riz de 2 cm.

2 Couvrez le faitout et portez l'eau à ébullition. Dès que l'eau bout, retirez le couvercle et baissez le feu. Quand le riz frémit légèrement, remettez le couvercle et laissez cuire à feu doux pendant environ 20 minutes, jusqu'à ce que l'eau soit entièrement absorbée.

Note: Si votre intention est de préparer un plat de riz sauté, ôtez le couvercle dès que le riz est cuit et laissez-le refroidir complètement.

Riz jaune au curry

Sud de la Thaïlande • Facile Khao Pad Pong Garrieh

Pour 4 personnes:
400 g de blanc de poulet
1 c. à s. de poudre de curry
(glossaire)
4 c. à s. de nam pla (sauce de poisson thaïlandaise)
3 pommes de terre moyennes à chair ferme
3 échalotes
8 c. à s. d'huile
750 g de riz thaïlandais parfumé cuit et refroidi (soit 250 g de riz cru - ci-dessus)
quelques feuilles de laitue pommée
½ concombre

Pour accompagner le plat:
1 gros piment au vinaigre (p. 32)
2 c. à c. de sucre

Temps de préparation: 30 mn
(+ 20 mn de marinade
+ 20 mn pour le riz
+ 5 mn pour le piment au vinaigre)

Par portion: 2 100 kJ/500 kcal

1 Coupez le blanc de poulet en dés. Mélangez la poudre de curry à 1 c. à s. de sauce de poisson, ajoutez-y les dés de poulet et laissez mariner dans un récipient couvert, au réfrigérateur, environ 20 minutes.

2 Pendant ce temps, épluchez les pommes de terre et coupez-les en dés de 2 cm. Jetez les dés dans une marmite remplie d'eau et laissez les cuire pendant environ 8 minutes — en les gardant un peu fermes. Puis égouttez-les dans une passoire et réservez-les. Lavez la salade et le concombre prévus pour la décoration, égouttez la salade et coupez le concombre en fines rondelles.

3 Pelez les échalotes, coupez-les en deux, puis émincez-les. Faites chauffer l'huile sur feu vif dans une grande poêle ou un wok. Faites-y rapidement revenir les échalotes, toujours sur feu vif. Ajoutez les dés de poulet et de pomme de terre. Laissez sauter à feu vif et sans cesser de remuer pendant environ 2 minutes. Ajoutez le riz et 3 c. à s. de sauce de poisson au contenu de la poêle, mélangez bien le tout et faites-le chauffer sur feu moyen pendant environ 2 minutes.

4 Disposez les feuilles de salade et les rondelles de concombre sur un plat, posez le curry de viande dessus. Vous pouvez servir ce plat avec des rondelles de pimentau vinaigre préalablement roulé dans 2 c. à c. de sucre.

Variante: Vous pouvez aussi préparer ce plat de riz avec des morceaux de poulet rôti. Pour cela, faites rôtir les morceaux de poulet marinés avec la poudre de curry et la sauce de poisson pendant environ 30 minutes, en réglant le four à 190 °C (th. 5-6).

Plat de fête • Rapide

Nouilles de riz au calmar

Guai Thiau Pla Muk

Pour 4 personnes:
500 g de calmar (sans tête ni tentacules) prêt à cuire
200 g de brocolis
5 gousses d'ail
1 oignon de taille moyenne
200 g de nouilles de riz (1 à 2 cm de large)
8 c. à s. d'huile
2 c. à s. de sauce de soja sucrée
3 c. à s. de sauce de poisson
1 c. à s. de sucre

Pour l'assaisonnement:
du sucre
du piment en poudre

Pour accompagner le plat:
1 bol de piments au vinaigre (p. 32)

Temps de préparation: 25 mn
(+ 5 mn pour les piments au vinaigre)

Par portion: 1 900 kJ/450 kcal

1 Lavez le calmar à l'eau courante et coupez-le en quatre puis chaque quart perpendiculairement et ensuite en lamelles d'environ 5 cm de long sur 2 cm de large.

2 Détachez les petits bouquets de brocolis et lavez-les. Épluchez-en la tige, enlevez-en les parties dures et coupez-la en fines tranches. Pelez l'ail et hachez-le menu. Pelez l'oignon et coupez-le en quatre.

3 Mettez de l'eau à bouillir dans un faitout. Faites blanchir les nouilles pendant environ 3 minutes (l'eau doit bouillir à gros bouillons), égouttez-les dans une passoire, rincez-les à l'eau froide et égouttez-les à nouveau. Faites chauffer de l'huile dans une poêle ou un wok. Ajoutez l'ail, les quarts d'oignon et les lamelles de calmar, et faites cuire

à feu vif pendant environ 1 minute. Remuez constamment.

4 Ajoutez les brocolis et laissez encore cuire pendant 2 minutes. Ajoutez les nouilles, la sauce de soja et la sauce de poisson, ainsi que le sucre, mélangez bien l'ensemble et faites chauffer.

5 Ce plat sera servi avec des piments au vinaigre et, pour chaque convive, deux petits bols contenant l'un du sucre et l'autre du piment en poudre. Chacun se servira à sa convenance.

Note: Les nouilles cuites ne doivent sécher à aucun moment, sinon elles ne se mélangeraient pas bien avec les autres ingrédients. Il ne faut donc pas laisser s'écouler trop de temps entre les étapes **3** et **4**.

Nouilles chinoises sautées

Rapide • Non relevé
Bamie Pad

Pour 4 personnes:
300 g de nouilles chinoises
aux œufs (glossaire)
200 g de germes de soja
2 ciboules
3 gousses d'ail
50 g de jambon cru
3 c. à s. d'huile
2 c. à s. de nam pla (sauce de
poisson thaïlandaise)
2 c. à s. de sauce d'huîtres
(glossaire)
1 c. à s. de sucre

Temps de préparation: 20 mn

Par portion: 1 700 kJ/400 kcal

1 Faites bouillir de l'eau dans une marmite, jetez-y les nouilles et laissez cuire pendant environ 4 minutes (en respectant les instructions données sur le paquet). Égouttez-les dans une passoire, rincez-les rapidement à l'eau froide et égouttez-les à nouveau.

2 Lavez les germes de soja, enlevez-en éventuellement les extrémités brunes. Nettoyez les ciboules, coupez-les dans le sens de la longueur puis en tronçons d'environ 3 cm. Pelez l'ail et hachez-le menu. Coupez le jambon en dés.

3 Faites chauffer de l'huile dans une poêle ou un wok et faites-y revenir l'ail et le jambon à feu moyen pendant environ 1 minute. Ajoutez les nouilles bien égouttées, mélangez intimement le tout et laissez cuire pendant encore environ 1 minute.

4 Ajoutez les germes de soja, la ciboule, la sauce de poisson et la sauce d'huîtres ainsi que le sucre, mélangez bien le tout. Laissez cuire pendant environ 2 minutes à feu moyen, jusqu'à ce que tous les ingrédients soient très chauds. Les germes de soja doivent être encore croquants. Servez immédiatement.

Nouilles de riz sautées

Centre de la Thaïlande • Aigre-doux   **Pad Thai Gung Sott**

Pour 4 personnes:
400 g de crevettes crues moyennes avec têtes et queues
3 c. à s. de sauce de poisson
½ c. à c. de poivre noir, fraîchement moulu
3 gousses d'ail
5 échalotes
100 g de cacahuètes salées
100 g de tofu (glossaire)
500 g de germes de soja
3 grandes feuilles vertes de poireau
2 limettes (glossaire)
200 g de nouilles de riz (0,5 cm de large - glossaire)
6 c. à s. d'huile
50 g de crevettes séchées
2 œufs
2 c. à s. de vinaigre de riz ou, à défaut, de vinaigre de cidre
2 c. à s. de sucre
2 c. à s. de sauce de soja claire

Pour l'assaisonnement:
du piment en poudre
du sucre

Pour accompagner le plat:
1 bol de piments au vinaigre (p. 32)

Temps de préparation: 1 h
(+ 5 mn pour les piments au vinaigre)

Par portion: 2 400 kJ/570 kcal

1 Enlevez la tête des crevettes et décortiquez-les en leur laissant les écailles de la queue. Incisez-leur le dos pour leur retirer le boyau noir. Mettez-les dans un récipient, versez 1 c. à s. de sauce de poisson dessus. Poivrez-les. Laissez-les mariner ainsi environ 10 minutes. Pelez l'ail et les échalotes, et hachez-les. Pilez les cacahuètes.

2 Coupez le tofu en dés de 0,5 cm. Lavez les germes de soja. Réservez-les. Lavez les feuilles de poireau et taillez-les en morceaux d'environ 4 x 0,5 cm. Lavez les limettes à l'eau très chaude et coupez-les en quatre.

3 Faites bouillir de l'eau dans une marmite. Laissez-y cuire les nouilles (à gros bouillons) pendant environ 2 minutes, égouttez-les immédiatement et rincez-les à l'eau froide. Faites chauffer de l'huile dans une poêle ou un wok et versez-y l'ail, les échalotes, le tofu et les crevettes séchées. Laissez cuire pendant 1 à 2 minutes. Ajoutez

les crevettes crues, faites cuire pendant 1 minute en secouant le wok. Poussez le tout dans un coin du wok.

4 Cassez les œufs dans l'espace libre du wok, brouillez-les et laissez-les cuire à feu moyen pendant environ 3 minutes, jusqu'à ce qu'ils dorent. Remettez tous les autres ingrédients dans le wok et mélangez. Ajoutez-y les nouilles, la moitié des germes de soja, le poireau, le vinaigre, le sucre, 2 c. à s. de sauce de poisson et la sauce de soja. Mélangez, faites réchauffer et disposez sur le plat. Saupoudrez de cacahuètes pilées.

5 Faites blanchir le reste des germes de soja pendant environ 1 minute, dans l'eau frémissante. Mettez-les dans un bol et les quartiers de limette dans un autre. Servez, à part, du piment en poudre et du sucre — ils souligneront la saveur aigre-douce. Accompagnez de piments au vinaigre.

Note: Les Thaïs aiment accompagner ce mets de fleurs de banane. Si vous en trouvez, pelez-en l'écorce violette, coupez en huit, dans le sens de la longueur, les feuilles intérieures blanches et trempez-les aussitôt dans de l'eau citronnée, pour qu'elles ne noircissent pas. Attention: ces fleurs font des taches indélébiles!

Salade au bœuf haché

Lab Nua

Nord-Est de la Thaïlande • Très relevé

Pour 4 personnes:
3 c. à s. de riz gluant cru
500 g de viande de bœuf hachée
4 c. à s. de jus de limette
(glossaire)
10 échalotes
2 cm de galanga frais (p. 52)
5 feuilles de citron vert (p. 58)
3 brins de coriandre fraîche (p. 47)
1 bouquet de ciboulette
30 feuilles de menthe fraîche
4 c. à s. de nam pla (sauce de poisson thaïlandaise)
2 c. à c. de piment en poudre

Temps de préparation: 30 mn

Par portion: 1 400 kJ/330 kcal

1 Faites griller le riz gluant sans huile, dans une poêle lourde, à feu moyen, pendant environ 3 minutes, jusqu'à ce qu'il dore. Laissez-le refroidir et pilez-le au mortier ou passez-le au mixeur.

2 Mélangez la viande de bœuf hachée au jus de limette, malaxez et laissez reposer pendant environ 5 minutes. Pelez les échalotes et émincez-les. Épluchez le galanga et hachez-le menu. Lavez les feuilles de citron vert, égouttez-les, roulez-les dans le sens de la longueur et coupez-les en fines lanières. Lavez la coriandre et la ciboulette, égouttez-les et hachez-les menu. Lavez les feuilles de menthe et égouttez-les.

3 Posez une poêle sur le feu, ajoutez-y la viande de bœuf hachée et saisissez-la, à feu moyen, pendant environ 5 minutes. Assaisonnez-la avec la sauce de poisson et le piment en poudre, puis mélangez soigneusement le tout. Retirez la poêle du feu et ajoutez-y, en remuant, le riz gluant, les lanières de feuille de citron, la coriandre, la ciboulette, le galanga et les échalotes.

4 Disposez sur un plat de service, garnissez avec les feuilles de menthe, servez tiède.

Variante: Même recette avec de la viande de porc hachée ou un mélange de porc et de bœuf.

Notes:
• Le riz sauté puis pilé donne à la salade un parfum particulier et permet d'obtenir une sauce veloutée. N'utilisez pas du riz sauté d'avance.
• En guise d'accompagnement, vous pouvez servir des légumes crus — par exemple, des feuilles de chou blanc ou de chou chinois — ainsi que des feuilles de laitue.

Salade de bœuf à la coriandre

Bangkok • Très relevé   **Yam Nua**

Pour 4 personnes:
3 gousses d'ail
5 piments oiseaux frais
4 c. à s. de nam pla (sauce de poisson thaïlandaise)
4 c. à s. de jus de limette (glossaire)
1 c. à s. de sucre
2 oignons moyens
1 bouquet de ciboulette
1 brin de coriandre fraîche (p. 47)
500 g de filet de bœuf
2 c. à s. d'huile

Temps de préparation: 50 mn

Par portion: 1 100 kJ/260 kcal

1 Pelez l'ail, lavez les piments et ôtez-en membranes et graines. Pilez l'ail et les piments au mortier puis mettez-les dans un récipient. Lavez-vous soigneusement les mains (le piment provoque des brûlures graves aux yeux)! Ajoutez la sauce de poisson, le jus de limette et le sucre.

2 Pelez les oignons, coupez-les en deux puis en fines rondelles. Lavez la ciboulette, égouttez-la et coupez-la en tronçons d'environ 3 cm de long. Lavez la coriandre, égouttez-la et hachez-la grossièrement.

3 Rincez la viande à l'eau froide puis épongez-la, parez-la et découpez-la en steaks d'environ 2 cm d'épaisseur.

Faites chauffer, à feu vif, de l'huile dans une grande poêle ou un wok, et saisissez-y les morceaux de viande pendant environ 3 minutes, jusqu'à ce qu'ils soient cuits à point. Laissez-les refroidir et détaillez-la en fines lamelles.

4 Mettez les lamelles de viande de bœuf, les oignons, la ciboulette et la coriandre à mariner dans le récipient qui contient la sauce au piment et mélangez bien le tout.

Note: Le filet de bœuf est cher, mais c'est la partie la plus tendre du bœuf. Veillez à ce que la viande achetée soit d'un beau rouge foncé.

Salade de calmar

Centre de la Thaïlande • Très relevé Yam Pla Muk

Pour 4 personnes:
1 oignon rouge moyen
1 oignon blanc moyen
3 gousses d'ail
5 piments oiseaux frais
1 pied de coriandre fraîche avec
ses racines (p. 47)
3 c. à s. de nam pla (sauce de
poisson thaïlandaise)
3 c. à s. de jus de limette
(glossaire)
1 c. à c. de sucre
500 g de calmar (sans tête ni
tentacules) prêt à cuire

Temps de préparation: 1 h

Par portion: 440 kJ/100 kcal

1 Pelez les oignons, coupez-les en deux puis en rondelles. Pelez l'ail, lavez les piments et ôtez-en membranes et graines. Lavez-vous soigneusement les mains (le piment provoque de graves brûlures aux yeux)! Lavez la coriandre, égouttez-la et coupez-en les racines. Hachez menu la tige et les feuilles.

2 Pilez les racines de coriandre au mortier, avec l'ail et les piments, puis mettez le tout dans un saladier. Ajoutez la sauce de poisson, le jus de limette et le sucre, et mélangez intimement.

3 Rincez le calmar à l'eau froide et coupez-le en quatre dans le sens de la longueur puis en lamelles d'environ 5 x 1 cm.

4 Faites bouillir de l'eau dans un faitout. Faites blanchir le calmar pendant 1 minute dans l'eau frémissante, retirez-le immédiatement et égouttez-le. Mélangez les morceaux de calmar chaud avec les oignons et la coriandre dans le saladier contenant déjà la sauce. Servez tiède.

Variante: Vous pouvez ajouter 200 g de crevettes cuites. Blanchissez-les alors pendant environ 2 minutes dans l'eau bouillante avant de les mélanger à la salade. Dans ce cas, 300 g de calmar suffisent.

Salade de poulet pimentée

Rapide • Relevé Lab Ock Gai

Pour 4 personnes:
2 c. à s. de riz gluant cru
10 échalotes
1 bouquet de ciboulette
40 feuilles de menthe fraîche
500 g de blanc de poulet
quelques feuilles de salade
1 c. à c. de piment en poudre
4 c. à s. de nam pla (sauce de
poisson thaïlandaise)
1 c. à c. de sucre
4 c. à s. de jus de limette
(glossaire)

Temps de préparation: 25 mn

Par portion: 790 kJ/190 kcal

1 Faites griller le riz gluant dans une poêle lourde, sans huile et à feu moyen, pendant environ 3 minutes, jusqu'à ce qu'il dore. Laissez-le refroidir et pilez-le au mortier ou hachez-le au mixeur. Faites bouillir environ 1 litre d'eau dans un faitout.

2 Pelez les échalotes et coupez-les en fines rondelles. Lavez la ciboulette, égouttez-la et hachez-la menu. Lavez les feuilles de menthe, égouttez-les, réservez 20 feuilles et hachez le reste.

3 Rincez rapidement le blanc de poulet, épongez-le, placez-le dans l'eau bouillante et laissez-le cuire 5 minutes

à feu doux. Sortez-le et, à l'aide de deux fourchettes, déchirez-le en morceaux d'environ 4 x 0,5 cm. Lavez les feuilles de salade et égouttez-les.

4 Mélangez intimement les morceaux de blanc de poulet, le riz gluant pilé, les échalotes, le piment en poudre, la ciboulette, les feuilles de menthe hachées et non hachées, la sauce de poisson, le sucre et le jus de limette. Servez les feuilles de salade à part.

Note: En guise d'accompagnement, servez des petites lamelles de chou blanc ou des feuilles de chou chinois, ou bien des haricots verts blanchis.

Salade de papaye

Nord-est de la Thaïlande • Relevé **Somm Tamm Thai**

Pour 4 personnes:
1 papaye verte pas trop mûre, de
taille moyenne (500 à 600 g)
4 gousses d'ail
5 piments oiseaux frais
2 tomates moyennes
50 g de crevettes séchées
50 g de cacahuètes grillées salées
3 c. à s. de nam pla (sauce de
poisson thaïlandaise)
3 c. à s. de sucre
4 c. à s. de jus de limette
(glossaire)

Pour accompagner le plat:
1 bol de riz gluant cuit à la vapeur

Temps de préparation: 25 mn

Par portion: 690 kJ/160 kcal

1 Épluchez la papaye et coupez-la en deux dans le sens de la longueur. Ôtez-en les graines à la cuiller, rincez les deux moitiés de fruit et râpez-en la pulpe avec une râpe à gros trous.

2 Lavez les piments, coupez-en 4 dans le sens de la longueur et ôtez-en graines et membranes. Lavez-vous les mains (le piment provoque de graves brûlures aux yeux). Pelez l'ail, lavez les tomates, coupez-les en huit et ôtez-en le pédoncule. Pilez au mortier l'ail et les 4 piments coupés, ajoutez les crevettes séchées et les cacahuètes, puis pilez à nouveau grossièrement.

3 Incorporez petit à petit la papaye et écrasez-la avec le pilon. Ensuite, à l'aide d'une cuiller, mélangez-la intimement avec les autres ingrédients du mortier. Ajoutez les morceaux de tomate, la sauce de poisson, le sucre et le jus de limette. Écrasez légèrement la tomates et mélangez bien. Versez le tout dans un saladier et décorez avec le piment restant, coupé plusieurs fois dans le sens de la longueur. Accompagnez cette salade de papaye d'un bol de riz gluant cuit à la vapeur et de légumes crus tels que feuilles de chou chinois coupées en deux ou feuilles de chou blanc.

Note: Choisissez une papaye verte pas trop mûre, pour pouvoir la râper.

La papaye

La papaye, originaire du Mexique, est cultivée dans tout le Sud-Est asiatique depuis le XVIᵉ siècle. Ce fruit long, en forme de grosse poire, qui grandit sur un arbre, appartient à la famille des figues. Sous les tropiques, une papaye peut peser jusqu'à 5 kg. Sa peau épaisse, d'un vert jaune, n'est pas comestible, pas plus que les petites graines d'un noir brillant que l'on trouve au centre du fruit (et qui ont la propriété, une fois réduits en poudre, d'attendrir la viande). La pulpe orange vif possède une forte teneur en provitamine A, en vitamine C et en calcium. Le jus

Les grosses papayes poussent essentiellement dans le nord-est du pays.

de limette *(voir glossaire)* fait ressortir la saveur de ce fruit que l'on peut soit déguster nature, soit utiliser pour confectionner une délicieuse crème. Une papaye est mûre lorsque sa pulpe cède légèrement sous la pression du doigt et que sa peau est jaunâtre et un peu ridée. Verte, elle peut être utilisée comme légume ou entrer dans la composition des salades *(page 92)*.

Légumes poêlés

Bangkok • Facile **Pad Pak Ruamit**

Pour 4 personnes:
200 g de brocolis
150 g de haricots verts
200 g de jeunes épis de maïs
200 g de chou chinois
300 g de jeunes carottes
3 ciboules
5 gousses d'ail
5 c. à s. d'huile
5 c. à s. de nam pla (sauce de poisson thaïlandaise)
3 c. à s. de sauce d'huîtres (glossaire)
1 c. à s. de sucre
4 c. à s. de vin de riz

Pour accompagner le plat (au choix):
1 bol de sauce pimentée à la coriandre (p. 30)
1 bol de piments au vinaigre (p. 32)

Temps de préparation: 40 mn (+ 15 mn pour la sauce pimentée à la coriandre ou 5 mn pour les piments au vinaigre)

Par portion: 820 kJ/200 kcal

1 Détachez les petits bouquets des brocolis, épluchez-en les tiges et coupez-les en morceaux. Effilez les haricots verts et coupez-les en deux.

2 Enlevez la plus grosse extrémité des épis de maïs, coupez les plus gros épis en deux dans le sens de la longueur, coupez-les tous en deux dans l'autre sens. Parez le chou chinois et coupez-le en lanières. Nettoyez soigneusement les carottes et coupez-les en quatre dans le sens de la longueur puis en deux dans l'autre sens.

3 Nettoyez les ciboules, coupez-les dans le sens de la longueur puis en tronçons d'environ 3 cm. Lavez soigneusement tous les légumes et faites-les bien égoutter. Mettez les ciboules et le chou chinois à part car ils exigent une cuisson plus courte.

4 Pelez l'ail et hachez-le menu. Faites chauffer l'huile dans une grande poêle ou un wok et faites-y revenir l'ail, à feu vif, pendant 1 minute. Ajoutez les brocolis, les carottes, les haricots verts et les épis de maïs. Faites cuire à feu vif pendant 2 minutes, en remuant constamment. Incorporez les ciboules, le chou chinois, la sauce de poisson, la sauce d'huîtres et le sucre.

5 Versez le vin de riz dans le wok et poursuivez la cuisson pendant environ 1 minute, à feu moyen, en remuant constamment, jusqu'à ce que les légumes soient cuits mais encore croquants. Servez les légumes accompagnés d'une sauce pimentée à la coriandre ou de piments au vinaigre.

Variante: Pour confectionner ce mets, vous pouvez utiliser toutes sortes de légumes, en fonction, notamment, de ce que vous trouverez sur le marché: asperges vertes, épinards, chou-fleur, champignons, céleri, etc. Prenez simplement garde aux temps de cuisson qui sont différents pour les uns et les autres.

Note: Les Thaïs cuisinent les légumes en les remuant continuellement dans le wok, car cela préserve leurs couleurs, leur goût et leur croquant. Utilisez pour cela une spatule ou une cuiller en bois, ou encore des baguettes.

Légumes variés avec leur sauce

Plat estival • Relevé **Pak Djim Naam Prik**

Pour 4 à 6 personnes:

Légumes à blanchir:
100 g de haricots verts chinois longs
100 g de chou blanc
100 g de jeunes épis de maïs
100 g de chou-fleur
100 g de chou chinois
100 g de carottes

Autres ingrédients:
100 g d'aubergines
100 g d'oignons
150 g d'épinards
3 c. à s. d'huile
5 œufs
½ c. à c. de sel

Pour accompagner le plat:
1 bol de sauce à la viande et à la tomate (p. 36)

Temps de préparation: 30 mn
(+ 25 mn pour la sauce à la viande et à la tomate)

Par portion (pour 6 personnes):
1 900 kJ/450 kcal

1 Nettoyez et lavez tous les légumes à blanchir. Coupez les haricots verts en tronçons d'environ 7 cm de long. Faites blanchir tous les légumes pendant environ 2 minutes dans l'eau bouillante. Égouttez-les bien dans une passoire.

2 Lavez les aubergines, coupez-les en tranches d'environ 0,5 cm d'épaisseur. Pelez les oignons et coupez-les en rondelles d'environ 0,5 cm d'épaisseur. Lavez les épinards, égouttez-les et hachez-les grossièrement.

3 Faites chauffer l'huile dans une poêle. Cassez les œufs dans un saladier, ajoutez le sel et battez-les. Faites tremper les aubergines et les oignons dedans (facultatif), faites-les revenir 2 minutes à la poêle, sortez-les, posez-les sur du papier absorbant et gardez-les au chaud. Mêlez les épinards aux œufs et faites cuire le tout dans la poêle

pendant environ 2 minutes, retournez et faites à nouveau cuire 2 minutes, jusqu'à ce que les œufs soient cuits. Coupez l'omelette en losanges.

4 Disposez tous les ingrédients sur un grand plat et servez avec la sauce à la vianche et à la tomate.

Notes:

Ces légumes sont servis dans toute la Thaïlande, où on les accompagne d'une sauce relevée. Les Thaïs considèrent qu'ils doivent être aussi agréables à l'œil qu'au goût; c'est pourquoi ils leur inventent toutes sortes de formes. Vous pouvez varier les légumes qui composent ce plat en fonction de la saison ou de vos goûts — il est possible d'accommoder ainsi à peu près tous les légumes.

Il est aussi permis, naturellement, de varier les sauces.

Légumes ciselés

L'art de ciseler les légumes et les fruits est très ancien en Thaïlande. Un poème du XIXᵉ siècle, consacré au roi thaïlandais Rama II, raconte l'histoire d'une reine qui fut chassée de la cour par sa rivale. Elle y revint, mais par la petite porte, déguisée en cuisinière, et réussit à attirer l'attention de son fils en gravant des scènes de sa propre vie dans la chair de la citrouille qu'elle devait lui servir. Quand, grâce à cet habile stratagème, le prince reconnut sa mère, il lui fit rendre sa place sur le trône. C'est cette très ancienne légende qui semble être à l'origine de la tradition des légumes ciselés en Thaïlande. Quoi qu'il en soit, les Thaïs attachent une très grande

Les ciseleurs de légumes professionnels créent de véritables œuvres d'art.

importance à la présentation de leurs mets. Il existe même, dans leur pays, une corporation des ciseleurs de fruits et de légumes qui réalisent de vrais chefs-d'œuvre — avec, bien sûr, des couteaux très spéciaux. Entre leurs doigts, et à la suite d'un travail long et complexe, les pastèques deviennent

fleurs étranges, les carottes roses blotties au cœur de buissons, les potirons récipients joliment décorés, les tomates, concombres, piments, oignons, papayes et ananas œillets, chrysanthèmes, roses, poissons et autres animaux..., parfois même véritables sculptures.

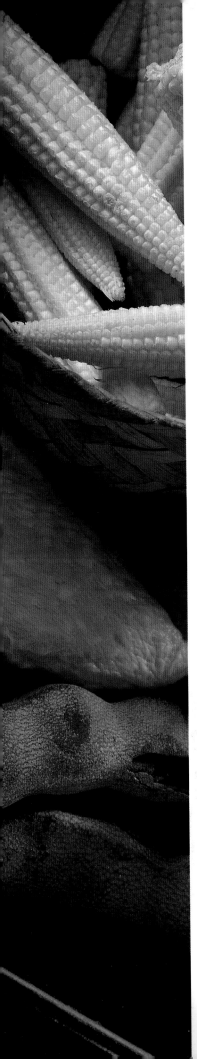

VOLAILLES

Pour les Thaïs, la volaille est un
précieux réservoir de protéines.
C'est la raison pour laquelle
elle n'est devancée, dans leur cuisine,
que par le poisson. Sa saveur douce
s'accorde d'ailleurs parfaitement avec
tous les légumes et même les fruits
frais. Elle présente aussi l'avantage
de pouvoir être préparée à la dernière
seconde, à la poêle, juste avant
l'arrivée des invités. La volaille est
également délicieuse mélangée à
d'autres viandes, tels le bœuf et le
porc, avec lesquels elle s'harmonise
parfaitement dans le Curry des trois
amis *(page 78),* ou même les crevettes
ou les fruits de mer. Le Poulet au curry
(page 105) figure parmi les grandes
spécialités thaïlandaises, de même
que les soupes, telle la Soupe de poulet
à la citronnelle *(page 52).*
Le poulet est vendu grillé, à tous les
coins de rues, où les chalands
l'achètent volontiers en se promenant
pai thai, c'est-à-dire sans but, «le nez
au vent». Les Thaïs apprécient enfin la
volaille en brochettes, trempées ou non
dans une sauce saté. Sur les marchés,
on trouve des poulets de toute
première fraîcheur, qui sont proposés
aux ménagères sous toutes les formes
possibles et imaginables: entiers,
coupés en deux ou en quatre, désossés,
débités en petits morceaux prêts pour
les brochettes, etc. Les dindes et
dindonneaux y sont en revanche assez
rares — mais il est toujours possible,
dans les recettes qui suivent, de
remplacer le poulet par ces viandes.
Le canard, lui, est réservé aux fêtes et
à certaines occasions particulières.

Blanc de poulet à l'ananas

Facile • Doux et sucré **Ock Gai Sapparot**

Pour 4 à 6 personnes:
500 g de blanc de poulet
1 c. à s. de farine de maïs
2 c. à s. de sauce de soja claire
½ c. à c. de poivre noir fraîchement
moulu
½ poivron vert • ½ poivron rouge
1 carotte moyenne
1 petit ananas frais
5 c. à s. d'huile
3 c. à s. de nam pla (sauce de
poisson thaïlandaise)
2 c. à s. de sucre
3 c. à s. de vin de riz ou de xérès

Temps de préparation: 20 mn
(+ 20 mn de marinade)

Par portion (pour 6 personnes):
950 kJ/230 kcal

1 Coupez les blancs de poulet en dés d'environ 2 cm de côté, mélangez-les à la farine de maïs, la sauce de soja et le poivre, et laissez-les mariner pendant près de 20 minutes au réfrigérateur, dans un récipient couvert.

2 Pendant ce temps, lavez les poivrons, coupez-les en deux, ôtez-leur membranes et graines et faites-en des dés d'environ 2 cm de côté. Épluchez la carotte et coupez-la en fines rondelles. Épluchez l'ananas, enlevez-lui les yeux, coupez-le en quatre, dans le sens de la longueur, retirez-en la partie centrale dure et détaillez-le en dés d'environ 2 cm de côté.

3 Faites chauffer l'huile dans une poêle ou un wok, ajoutez-y les dés de poulet et laissez cuire environ 2 minutes à feu moyen. Montez le feu et ajoutez les morceaux de poivron, les rondelles de carotte, les dés d'ananas, la sauce de poisson, le sucre, le vin de riz ou le xérès et un peu d'eau. Secouez constamment la poêle et laissez à feu vif pendant 2 minutes. Transférez le tout sur un plat de service.

Variante: Vous pouvez remplacer le blanc de poulet par de l'escalope de dinde. Pour les occasions spéciales, ce plat sera également délicieux avec des filets de canard. Le xérès, plus facile à trouver, remplace parfaitement le vin de riz.

Blanc de poulet au gingembre

Bangkok • Facile   **Gai Pad Khing**

Pour 4 personnes:
5 champignons chinois parfumés
séchés, de taille moyenne
5 c. à s. d'huile
100 g de noix de cajou non salées
2 morceaux (4 cm) de gingembre
3 ciboules
2 tomates moyennes
400 g de blanc de poulet
3 gousses d'ail
2 c. à s. de nam pla (sauce de
poisson thaïlandaise)
2 c. à s. de sauce d'huîtres
(glossaire)
1 c. à s. de sucre

Temps de préparation: 40 mn

Par portion: 1 700 kJ/400 kcal

1 Versez de l'eau bouillante sur les champignons chinois et laissez-les gonfler pendant environ 20 minutes.

2 Pendant ce temps, faites chauffer l'huile dans une poêle et jetez-y les noix de cajou. Faites-les dorer, à feu moyen, pendant environ 3 minutes, en secouant constamment la poêle. Retirez-les à l'aide d'une écumoire et disposez-les sur du papier absorbant. Réservez l'huile.

3 Pelez le gingembre et coupez-le en tranches minces. Pressez les champignons, enlevez-leur les parties dures, coupez-les en quatre. Nettoyez les ciboules, lavez-les et coupez-les en tronçons d'environ 3 cm de long. Lavez les tomates, coupez-les en quatre et enlevez-en le pédoncule.

4 Coupez le blanc de poulet en lamelles d'environ 3 x 1 cm. Pelez l'ail et hachez-le menu.

5 Faites réchauffer l'huile dans la poêle et laissez-y dorer l'ail, à feu moyen, pendant environ 2 minutes. Ajoutez les lamelles de poulet et faites cuire à feu vif pendant environ 2 minutes.

6 Incorporez le gingembre, les champignons, les tomates, les ciboules et les noix de cajou et faites cuire à feu vif pendant 2 minutes sans cesser de remuer. Baissez le feu, ajoutez un peu de sauce de poisson, la sauce d'huîtres, un peu de sucre. Mélangez à nouveau intimement le tout et rectifiez éventuellement l'assaisonnement avec du sucre et de la sauce de poisson.

Blanc de poulet aigre-doux

Plat de fête • Un peu long Gai Pad Priau Van

Pour 4 personnes:
350 g de blanc de poulet
2 c. à s. de sauce de soja claire
½ c. à c. de poivre noir fraîchement moulu
2 tomates moyennes
2 oignons moyens
½ concombre
1 poivron rouge
350 g de chair d'ananas (pesée pelée, sans les yeux ni le centre) ou, à défaut, 1 petite boîte de tranches d'ananas en conserve
12,5 cl de jus d'ananas
3 gousses d'ail
½ l d'huile végétale pour friture
100 g de farine à tempura (glossaire)
2 c. à c. de fécule
3 c. à s. d'huile
5 c. à s. de ketchup
3 c. à s. de nam pla (sauce de poisson thaïlandaise)
3 c. à s. de vinaigre de riz ou, à défaut, de vinaigre de cidre
4 c. à s. de sucre
1 feuille de bananier (facultatif)

Temps de préparation: 1 h (+ 30 mn de marinade)

Par portion: 1 500 kJ/360 kcal

1 Coupez le poulet en dés de 2 cm et mélangez-le à la sauce de soja et au poivre. Laissez-le mariner, à couvert, au réfrigérateur, pendant 30 minutes.

2 Pendant ce temps, lavez les tomates, coupez-les en quatre et enlevez-en le pédoncule. Pelez les oignons, lavez le concombre à l'eau très chaude et coupez le tout en gros dés. Lavez le poivron, ôtez-en graines et membranes et coupez-le en gros dés. Coupez l'ananas frais en quatre — ou égouttez les tranches d'ananas en boîte — et coupez-le en morceaux. Pelez l'ail et hachez-le menu.

3 Faites chauffer 0,5 litre d'huile dans une cocotte ou un wok. Mélangez au fouet, dans un récipient, la farine à tempura et exactement 25 cl d'eau, jusqu'à obtention d'une pâte liquide sans grumeaux — si la pâte est trop épaisse, rajoutez un peu d'eau. Trempez les dés de poulet dans la pâte, sortez-les et mettez-les au fur

et à mesure dans l'huile. Laissez-les frire à feu moyen pendant 4 minutes environ, jusqu'à ce qu'ils soient dorés. Préchauffez le four à 100° C (th. 1-2). Sortez le poulet de la poêle, à l'aide d'une écumoire, et posez-le sur du papier absorbant. Gardez-le ensuite au chaud dans le four.

4 Mélangez la fécule et 3 c. à s. d'eau dans une tasse, jusqu'à obtention d'une pâte lisse. Faites chauffer 3 c. à s. d'huile dans une poêle. Faites-y dorer l'ail, à feu moyen, pendant environ 1 minute. Ajoutez les tomates, l'oignon, le concombre, le poivron et l'ananas et faites cuire à feu vif pendant 2 minutes.

5 Incorporez le ketchup et la sauce de poisson. Baissez le feu, incorporez le jus d'ananas ou 12,5 cl d'eau et laissez cuire à nouveau.

6 Assaisonnez avec le vinaigre et le sucre pour obtenir la saveur aigre-douce. Battez à nouveau la fécule et incorporez-la progressivement. Faites chauffer, pour que la sauce épaississe.

7 Juste avant de servir, passez les dés de poulet dans la sauce. Lavez la feuille de bananier et coupez-la en forme de petites feuilles. Tapissez-en un plat. Versez le contenu de la poêle dessus et servez chaud.

Poulet au lait de coco

Facile • Relevé   **Gai Gati Luang**

Pour 4 à 6 personnes:
6 cuisses de poulet
2 c. à s. de poudre de curry
(glossaire)
5 échalotes
½ poivron rouge
40 cl de lait de coco non sucré
2 c. à c. de sel
1 c. à s. de sucre
2 c. à s. de jus de limette (glossaire)

Temps de préparation: 15 mn
(+ 20 mn de marinade
+ 30 mn de cuisson)

Par portion (pour 6 personnes):
890 kJ/210 kcal

1 Roulez les cuisses de poulet dans la poudre de curry et laissez reposer pendant environ 20 minutes. Pendant ce temps, pelez les échalotes et coupez-les en gros dés. Lavez le demi-poivron, ôtez-en membranes et graines et coupez-le en fins rubans d'environ 5 cm de long.

2 Faites chauffer le lait de coco dans un faitout et laissez-le mijoter à feu moyen pendant environ 1 minute en remuant constamment. Ajoutez les dés d'échalote, les cuisses de poulet, le sel, le sucre et le jus de limette. Laissez chauffer le tout, à couvert, à feu moyen, pendant environ 30 minutes. Environ

10 minutes avant la fin de la cuisson, enlevez le couvercle pour que la sauce épaississe. Disposez le poulet sur un plat de service et décorez-le avec les fins rubans de poivron.

Variante: Vous pouvez, à la place des cuisses de poulet, utiliser des ailes ou des blancs de poulet, ou bien faire moitié cuisses, moitié blancs.

Poulet au curry

Rapide • Relevé   **Paneng Gai**

Pour 4 personnes:
500 g de blanc de poulet
½ poivron rouge
3 feuilles de citron vert (p. 58)
50 feuilles de basilic (bai horapha)
(p. 71)
20 cl de lait de coco non sucré
2 c. à s. de pâte de curry paneng
(p. 26)
2 c. à s. de nam pla (sauce de
poisson thaïlandaise)
3 c. à s. de sucre

Temps de préparation: 20 mn
(+ 20 mn pour la pâte de curry)

Par portion: 1 600 kJ/380 kcal

1 Coupez le blanc de poulet en fines lamelles. Lavez la moitié de poivron, ôtez-en graines et membranes et coupez-la en fins rubans. Lavez et égouttez les feuilles de citron vert, roulez-les dans le sens de la longueur et détaillez-les en fines lamelles. Lavez les feuilles de basilic et égouttez-les.

2 Retirez 1 c. à s. de la couche épaisse qui, dans la boîte de lait de coco, flotte à la surface et réservez-la. Versez le reste du lait de coco dans un faitout et faites-le bouillir. Incorporez-y la pâte de curry paneng et laissez mijoter, à feu doux, pendant environ 1 minute.

3 Ajoutez les lamelles de poulet, la sauce de poisson, le sucre et la moitié des lamelles de feuilles de citron. Laissez cuire à feu doux pendant environ 5 minutes. Versez dans un plat, ajoutez les feuilles de basilic et mélangez. Garnissez avec les lamelles de poivron, les lamelles de feuilles de citron et la crème de lait de coco réservée en **2**. Servez.

Variante: Vous pouvez, pour varier cette recette, remplacer le poulet par 500 g de crevettes cuites. Ce plat est également délicieux avec de fines lamelles d'échine de porc.

Poule au gingembre

Un peu long • Aigre-doux   **Khao Man Gai**

Pour 4 personnes:
1 poule (environ 1,6 kg)
8 gousses d'ail
5 brins de coriandre fraîche
avec les racines (p. 47)
½ c. à c. de poivre noir fraîchement
moulu
1 c. à c. de sel
1 morceau (4 cm) de gingembre
3 piments oiseaux frais
3 c. à s. de sauce de haricots salée
3 c. à s. de vinaigre de riz ou, à
défaut, de vinaigre de cidre
3 c. à s. de sauce de soja douce
3 c. à s. de sucre
1 concombre
250 g de riz thaïlandais parfumé

Temps de préparation: 30 mn
(+ 2 h de cuisson
+ 20 mn pour le riz)

Par portion: 2 800 kJ/670 kcal

1 Lavez soigneusement la poule, à l'extérieur et à l'intérieur, puis faites-la égoutter. Pelez l'ail, lavez la coriandre, égouttez-la et réservez-en les feuilles. Pilez les racines de coriandre, l'ail, le poivre et le sel au mortier, jusqu'à obtention d'une pâte. Badigeonnez-en l'extérieur et l'intérieur de la poule.

2 Dans un grand faitout, faites bouillir environ 2,5 litres d'eau puis mettez-y la poule, couvrez et laissez cuire, à feu moyen, pendant 2 heures.

3 Pendant ce temps, épluchez le gingembre, lavez les piments, ôtez-en membranes et graines et pilez le tout dans un mortier. Lavez-vous soigneusement les mains (le piment provoque de graves brûlures aux yeux). Versez la sauce de haricots dans une petite passoire et recueillez-en le liquide. Ajoutez les haricots dans le mortier et pilez soigneusement.

4 Dans une petite casserole, faites rapidement cuire la pâte du mortier additionnée de la sauce de haricots, du vinaigre, de la sauce de soja et du

sucre. Laissez refroidir. Épluchez le concombre ou lavez-le soigneusement, puis coupez-le en rondelles d'environ 0,5 cm d'épaisseur.

5 Environ une ½ heure avant la fin de la cuisson de la poule, mettez le riz dans une casserole et remplissez-la de bouillon de poule, de façon que le riz en soit recouvert de 2 cm. Couvrez la casserole, faites bouillir, puis retirez le couvercle et baissez le feu. Dès que le riz mijote, remettez le couvercle et laissez cuire pendant 20 minutes à feu doux, jusqu'à ce que tout le bouillon soit absorbé.

6 Sortez la poule du faitout. Détachez

la peau et les os de la viande. Coupez la viande en tranches et en morceaux. Servez la viande seule ou avec le riz. Décorez le plat avec les rondelles de concombre et les feuilles de coriandre. Servez la sauce au gingembre, tiède, à part.

Note: Vous pouvez aussi mélanger le reste du bouillon de poule avec environ 2 c. à s. de sauce de poisson et servir cette deuxième sauce à part.

Poulet au maïs

Bangkok • Facile **Gai Pad Johd Khao Pod**

Pour 4 à 6 personnes:
600 g de blanc de poulet
3 c. à s. de nam pla (sauce de
poisson thaïlandaise)
½ c. à c. de poivre noir fraîchement
moulu
500 g de jeunes épis de maïs frais
3 ciboules
5 gousses d'ail
5 c. à s. d'huile
2 c. à s. de sauce d'huîtres
(glossaire)
1 c. à s. de sucre

Temps de préparation: 30 mn

Par portion (pour 6 personnes):
870 kJ/210 kcal

1 Coupez le poulet en languettes d'environ 3 x 0,5 cm. Versez 1 c. à s. de sauce de poisson ainsi que le poivre par-dessus et laissez mariner pendant 10 minutes.

2 Pendant ce temps, lavez les épis de maïs, coupez-en l'extrémité épaisse puis coupez-les en deux dans le sens de la longueur. Lavez les ciboules, coupez-les en deux dans le sens de la longueur puis en tronçons d'environ 4 cm de long. Pelez l'ail et hachez-le menu.

3 Faites chauffer l'huile dans une poêle ou un wok. Faites-y dorer l'ail, à feu vif, pendant environ 2 minutes. Ajoutez les languettes de poulet et faites-les sauter pendant environ 2 minutes, à feu vif, en secouant la poêle. Ajoutez les épis de maïs, les ciboules, 2 c. à c. de sauce de poisson, la sauce d'huîtres et le sucre, ainsi que, si nécessaire, un peu d'eau, et faites chauffer le tout, en secouant la poêle, pendant environ 1 minute.

Variante: Vous pouvez remplacer le poulet par de la dinde ou du porc.

Note: Les jeunes épis de maïs frais peuvent être remplacés par des épis en boîte. Vérifiez alors qu'ils sont conservés dans l'eau (au naturel) et non pas dans le vinaigre.

Blanc de poulet au sésame

Bangkok • Rapide   **Gai Pad Nga Khao**

Pour 4 à 6 personnes:
600 g de blanc de poulet
½ c. à c. de graines de coriandre du
moulin (p. 47) • ½ c. à c. de sel
1 morceau (2 cm) de gingembre
500 g de tiges de brocolis
2 c. à s. de graines de sésame blanches
3 c. à s. d'huile
2 c. à s. de sauce de soja claire
1 c. à s. de nam pla (sauce de poisson)
1 c. à s. de sucre
1 bol de piments au vinaigre (p. 32)
1 gousse d'ail (facultatif)

Temps de préparation: 30 mn
(+ 5 mn pour les piments au vinaigre)

Par portion (pour 6 personnes):
660 kJ/160 kcal

1 Faites bouillir un bon litre d'eau dans un faitout. Coupez le blanc de poulet en languettes d'environ 5 x 1 cm. Mélangez avec la coriandre et le sel, laissez reposer environ 10 minutes.

2 Pendant ce temps, épluchez le gingembre et hachez-le menu. Épluchez les tiges de brocolis, enlevez-en les parties dures et coupez-les en tronçons d'environ 5 cm de long. Faites blanchir ces tronçons pendant 1 minute dans l'eau frémissante, puis égouttez-les dans une passoire.

3 Faites roussir les graines de sésame blanches dans une poêle lourde, sans graisse, à feu moyen, pendant environ

2 minutes, puis réservez-les. Faites chauffer l'huile dans une poêle ou un wok, ajoutez-lui le gingembre et le poulet et laissez cuire à feu vif pendant environ 2 minutes.

4 Ajoutez le brocoli, la sauce de soja, la sauce de poisson, le sucre et les graines de sésame grillées. Laissez cuire pendant encore 2 minutes, à feu moyen. Disposez sur un plat de service. Servez avec des piments au vinaigre agrémentés, le cas échéant, d'une gousse d'ail émincée.

Variante: Vous pouvez remplacer le poulet par de la dinde et les tiges de brocolis par des haricots verts.

Canard rôti

Recette de base • Un peu long

Ped Yang Naam Phung

Pour 4 personnes:
1 canard (environ 2,2 kg)
10 gousses d'ail
3 brins de coriandre fraîche
½ c. à c. de sel
½ c. à c. de poivre noir du moulin
3 c. à s. de sauce de soja douce
3 c. à s. de miel liquide
5 c. à s. de vinaigre de riz ou, à défaut, de vinaigre de cidre
3 c. à s. de sucre
1 gros piment rouge frais
quelques rondelles de concombre

Temps de préparation: 1 h 45
(+ 2 h de marinade)

Par portion: 4 300 kJ/1 000 kcal

1 Lavez soigneusement l'intérieur et l'extérieur du canard sous l'eau froide. Laissez-le égoutter. Pelez l'ail, lavez et égouttez la coriandre, puis écrasez-la au mortier, avec l'ail, le sel et le poivre, jusqu'à obtention d'une pâte à laquelle vous incorporerez 1 c. à s. de sauce de soja et le miel. Badigeonnez l'intérieur et l'extérieur du canard avec cette pâte et laissez-le reposer dans un lieu frais, dans un récipient couvert, pendant environ 2 heures.

2 Versez le vinaigre, 2 c. à s. de sauce de soja et le sucre dans une petite casserole. Faites chauffer rapidement puis laissez refroidir. Lavez le piment, ôtez-en membranes et graines et coupez-le en fines rondelles. Lavez-vous les mains. Ajoutez les rondelles de piment à la sauce au vinaigre.

3 Préchauffez le four à 190 °C (th.5-6). Placez le canard à mi-hauteur, sur une grille, avec une lèchefrite en dessous pour recueillir la graisse. Au bout de 10 minutes, ramenez la température à 180 °C (th. 5) et poursuivez la cuisson pendant 60 à 90 minutes, en retournant le canard de temps à autre et en l'arrosant de graisse — s'il noircit, couvrez-le d'une feuille d'aluminium. Sortez-le, découpez-le, décorez avec des rondelles de concombre et servez avec la sauce au vinaigre et du riz.

Note: Le canard rôti est une recette de base pour d'autres préparations.

Canard au curry rouge

Plat de fête • Un peu long

Gueng Phet Ped Yang

Pour 4 à 6 personnes:
1 canard (environ 2,2 kg)
10 tomates cerises
5 feuilles de citron vert (p. 58)
20 feuilles de bai horapha (basilic)
350 g de chair d'ananas (pesée pelée) ou, à défaut, 1 boîte d'ananas
3 c. à s. d'huile
2 c. à s. de pâte de curry rouge (p. 26)
40 cl de lait de coco non sucré
3 c. à s. de nam pla (sauce de poisson)
1 c. à s. de sucre

Temps de préparation: 30 mn
(+ 4 h pour le canard
+ 25 mn pour la pâte de curry)

Par portion (pour 6 personnes):
3 200 kJ/760 kcal

1 Préparez le canard selon la recette du canard rôti *(ci-dessus)*. Détachez la viande des os et coupez-la en languettes d'environ 4 x 1 cm.

2 Lavez les tomates et les feuilles de citron, égouttez-les et coupez-les en quatre. Lavez les feuilles de basilic et égouttez-les. Épluchez l'ananas frais, coupez-le en quatre, enlevez-en les yeux et la partie centrale dure — ou égouttez l'ananas en boîte (vous n'aurez pas besoin du jus). Coupez-le en morceaux.

3 Faites chauffer l'huile dans une cocotte ou un wok. Mettez-y la pâte de curry rouge et faites-la fondre en remuant avec une spatule. Ajoutez 5 c. à s. de la crème épaisse qui flotte à la surface du lait de coco, mélangez et laissez mijoter à feu doux pendant environ 1 minute. Montez le feu. Ajoutez les morceaux de canard et d'ananas, la sauce de poisson, les feuilles de citron, le sucre et le reste du lait de coco et faites braiser le tout pendant 2 minutes à feu moyen.

4 Ajoutez les tomates cerises et les feuilles de basilic et disposez dans un plat de service.

Note: Pour gagner du temps, vous pouvez remplacer le canard entier par des filets. C'est également très bon.

Canard au tamarin

Un peu long • Aigre-doux   **Ped Makaam**

Pour 4 personnes:
1 canard (environ 2,2 kg)
2 noix de pulpe de tamarin
4 c. à s. de sucre de palme ou, à défaut, de sucre roux
3 c. à s. de sauce de poisson
15 gousses d'ail
8 à 10 échalotes
8 c. à s. d'huile

Temps de préparation: 30 mn
(+ 4 h pour le canard)

Par portion: 5 000 kJ/1 200 kcal

1 Préparez le canard selon la recette du canard rôti *(page 111)*. Détachez la viande des os et coupez-la en petites languettes d'environ 4 x 1 cm.

2 Faites ramollir le tamarin dans environ 20 cl d'eau tiède, pressez-le fortement pour bien l'écraser. Retirez les parties dures. Passez dans une passoire fine.

3 Mélangez bien le sucre et la sauce de poisson au jus de tamarin, jusqu'à ce que tout le sucre soit absorbé. Versez le mélange dans une petite casserole et faites chauffer à feu moyen pendant environ 2 minutes.

4 Pelez l'ail et les échalotes, émincez-les finement. Faites chauffer 5 c. à s.

d'huile dans une poêle, faites-y dorer l'ail et les échalotes à feu moyen pendant 3 minutes et incorporez-les à la sauce de tamarin. Gardez au chaud.

5 Faites chauffer 3 c. à s. d'huile dans une poêle ou un wok. Faites-y frire les languettes de canard à feu vif, pendant 2 minutes, puis disposez-les sur un plat de service. Versez la sauce de tamarin par-dessus ou mettez-la dans une saucière. Servez très chaud.

Le tamarin

Le tamarinier est un arbre de 20 à 30 mètres de haut qui pousse dans toutes les régions de l'Asie. Son fruit, le tamarin, à l'écorce cassante et au noyau mou et de couleur brunâtre, va du gris brun au jaune foncé. Il contient environ 35 % de sucre et plus de 20 % de fructose. Il est généralement commercialisé en petits paquets. Le tamarin donne aux plats thaïs une saveur aigre et un goût âpre très particuliers. On trouve parfois des tamarins frais dans les magasins asiatiques: ils ressemblent à de grosses cosses de haricots tordues. Mais il est assez difficile de les utiliser; mieux vaut prendre des plaques de tamarin concentré. Pour obtenir le jus de

Les tamarins frais ressemblent à de gros haricots.

tamarin qui relèvera les plats, il faut mélanger $1/3$ de concentré de tamarin avec $2/3$ d'eau chaude, laisser tremper quelques instants puis bien malaxer, pour obtenir un jus brun foncé. On trouve aussi le tamarin sous forme de purée, en bocaux de verre, encore plus facile d'emploi. Les Thaïs préfèrent,

eux, les plaquettes. Outre le tamarin amer, utilisé pour cuisiner, il existe un tamarin doux, généralement consommé cru (épluché). Les Thaïs aiment le déguster entre les repas, après l'avoir trempé dans du sucre. Bouilli, il donne également un jus très rafraîchissant.

POISSONS ET FRUITS DE MER

Les longs rivages du golfe de
Siam et de la mer d'Andaman
offrent aux Thaïs une profusion
de poissons et de fruits de mer. De
même, à l'intérieur des terres, dans les
rivières et dans les *klongs* — et même
dans les rizières — on trouve toutes
sortes d'espèces de poissons d'eau
douce. Pour les Thaïs, le poisson est
l'aliment le plus important après le riz.
Le choix y est incroyable et même les
langoustes et autres homards — dont
le pays regorge — y sont d'un prix très
abordable. La Thaïlande est le paradis
des amateurs de poisson! Pas étonnant,
dès lors, que les Thaïs aient hissé la
technique de la préparation du poisson
et des fruits de mer au niveau du très
grand art: les poissons y sont servis
frits, grillés au wok, cuits à la vapeur
ou grillés au feu de bois, enveloppés
dans des feuilles de bananier, tandis
que les crevettes et le calmar sont,
pour que s'exprime parfaitement leur
saveur, frits au wok avec des légumes.
Il y a aussi les délicieuses soupes à
l'arôme puissant et les *curries* plus ou
moins relevés. Le *nam pla* (sauce de
poisson) et le *kapi* (pâte de crevettes)
sont les épices de base de la cuisine
thaïlandaise. Quel joyeux spectacle,
enfin, que ces calmars séchés qu'on
voit partout en Thaïlande, accrochés,
au bout de pinces multicolores, aux
étals des marchands ambulants ou
posés sur un gril improvisé devant
un groupe de gourmands impatients.

Truite grillée

Facile • Relevé

Pla Samrie Prung Rot

Pour 4 personnes:
4 truites moyennes (200 à 250 g)
9 c. à s. de jus de limette
(glossaire)
1 c. à c. de sel
poivre noir fraîchement moulu
1 feuille de bananier (facultatif)
¼ de chou blanc (300 g)
1 grosse carotte • 10 gousses d'ail
7 c. à s. d'huile (+ 2 c. à s. pour
badigeonner les poissons)
1 c. à s. de piment en poudre
2 c. à s. de sucre
3 c. à s. de nam pla (sauce de
poisson thaïlandaise)

Temps de préparation: 35 mn

Par portion: 1 800 kJ/430 kcal

1 Lavez les truites sous l'eau froide et égouttez-les. Faites-leur, tous les 2 cm environ, des entailles légères sur les deux flancs. Versez dessus 4 c. à s. de jus de limette, salez-les et poivrez-les à l'intérieur et à l'extérieur.

2 Lavez chou et carotte et coupez-les en fines lamelles. Lavez la feuille de bananier et disposez-la sur un plat ovale. Répandez le chou et la carotte dessus. Pelez l'ail et hachez-le menu.

3 Faites chauffer 5 c. à s. d'huile dans une poêle. Laissez-y dorer l'ail, à feu moyen, pendant environ 2 minutes et réservez-le avec l'huile dans un bol. Faites chauffer 2 c. à s. d'huile dans la même poêle et faites-y rapidement griller le piment en poudre. Retirez du feu, ajoutez le sucre, la sauce de poisson et 5 c. à s. de jus de limette. Remuez jusqu'à ce que le sucre soit dissous. Préchauffez le four à 200 °C (th. 6) ou préparez des braises dans un barbecue.

4 Enduisez les truites de 2 c. à s. d'huile et posez-les sur une grille, à mi-hauteur du four ou sur le barbecue. Laissez-les cuire environ 15 minutes, en les arrosant d'huile de temps à autre.

5 Disposez-les sur le plat, parsemez-les d'ail. Servez la sauce au piment tiède à part ou nappez-en les truites.

Filets de sole à la limette

Pla Nung Manau

Pour 4 personnes:
8 filets de sole ou 2 soles
(environ 1 kg)
10 gousses d'ail
5 piments oiseaux frais
1 bouquet de ciboulette
5 c. à s. de jus de limette
(glossaire)
1 c. à c. de sel
1 c. à c. de sauce de soja claire

Temps de préparation: 40 mn

Par portion: 700 kJ/170 kcal

1 Préchauffez le four à 200 °C (th. 6). Lavez les filets de sole à l'eau froide — si vous utilisez des soles entières, lavez-les sous l'eau froide, égouttez-les et faites-leur, tous les 2 cm, des entailles peu profondes sur les flancs. Mettez le poisson, quel qu'il soit, dans un plat allant au four.

2 Pelez l'ail et émincez-le. Lavez les piments, ôtez-en graines et membranes et coupez-les en fines rondelles. Lavez-vous soigneusement les mains (le piment provoque des brûlures aux yeux). Lavez la ciboulette, égouttez-la et coupez-la en tronçons de 3 cm.

3 Mélangez bien, dans un récipient, le piment, l'ail, le jus de limette, le sel, la sauce de soja et 12,5 cl d'eau. Versez ce mélange sur le poisson puis placez le tout à mi-hauteur du four et laissez cuire environ 20 minutes. Parsemez-le de ciboulette.

Notes:
• Vous pouvez préparer de même façon de la perche ou du flétan.
• Vous pouvez aussi cuire le poisson à la vapeur, à l'autocuiseur, pendant environ 25 minutes.

Langouste au tamarin

Gung Yang Rad Sod

Pour 4 personnes:
4 langoustes crues moyennes
(environ 900 g chacune)
1 c. à c. de poivre noir fraîchement
moulu
8 c. à s. d'huile végétale
10 gousses d'ail
7 échalotes
3 brins de coriandre fraîche avec
leurs racines (p. 47)
2 piments oiseaux frais
2 noix de pulpe de tamarin
4 c. à s. de sucre de palme ou, à
défaut, de sucre roux
3 c. à s. de nam pla (sauce de
poisson thaïlandaise)
quelques feuilles de salade

Temps de préparation: 45 mn

Par portion: 2 300 kJ/550 kcal

1 Préchauffez le four à 180 °C (th. 5). Coupez les têtes des langoustes à l'aide d'un gros couteau. Réservez-les. Cassez avec précaution les carapaces, sur le dessus, et écartez-les. Laissez les écailles de la queue. Entaillez la chair de chaque queue et retirez-en le boyau noir. Lavez et égouttez les queues.

2 Poivrez les queues de langouste (½ c. à c. de poivre). Couvrez la plaque du four d'aluminium et badigeonnez la feuille avec 1 c. à s. d'huile. Posez les queues de langouste dessus, après les avoir également badigeonnées avec 1 c. à s. d'huile. Placez la plaque à mi-hauteur du four et laissez cuire environ 20 minutes, en arrosant de temps en temps avec le liquide de cuisson.

3 Pendant ce temps, pelez l'ail et les échalotes, coupez-les en tranches et faites-les dorer pendant environ 2 minutes, à feu moyen, dans 5 c. à s. d'huile. Réservez-les avec l'huile. Lavez la coriandre, égouttez-la, effeuillez-la, broyez-en la tige et les racines, avec ½ c. à c. de poivre, dans le mortier.

4 Lavez les piments, ôtez-en graines et membranes et hachez-les menu. Coupez la moitié d'un piment en fines rondelles. Lavez-vous les mains (le piment brûle gravement les yeux).

5 Faites ramollir le tamarin pendant environ 10 minutes dans 12,5 cl d'eau chaude, écrasez-le bien dans l'eau. Retirez les parties dures et les pépins. Filtrez dans un tamis.

6 Versez le jus de tamarin dans un récipient avec le sucre de palme, la sauce de poisson et le piment haché. Mélangez bien, jusqu'à ce que le sucre soit dissous. Faites chauffer 1 c. à s. d'huile dans une casserole, ajoutez la coriandre broyée et faites rapidement chauffer à feu doux. Incorporez la sauce au tamarin et laissez mijoter le tout pendant environ 1 minute. Ajoutez l'ail et les échalotes en remuant constamment.

7 Disposez les queues et les têtes de langouste sur un plat tiède, sur des feuilles de salade. Nappez de sauce et garnissez de feuilles de coriandre et de rondelles de piments.

Note: Une langouste mesure de 20 à 50 cm de long et pèse entre 600 g et 1,3 kg. Sa chair étant un peu plus sèche que celle du homard, il faut l'arroser fréquemment au cours de la cuisson.

Poisson en feuilles de bananier

Un peu long • Relevé **Ngob Pla**

Pour 4 personnes:
400 g de rascasse ou de filet de
cabillaud
4 c. à s. de nam pla (sauce de
poisson thaïlandaise)
½ c. à c. de poivre noir fraîchement
moulu
10 feuilles de citron vert (p. 47)
200 g de viande hachée (porc et
bœuf mélangés)
2 c. à s. de pâte de curry rouge
(p. 26)
7 c. à s. de lait de coco non sucré
2 œufs
2 feuilles de bananier

Temps de préparation: 1 h
(+ 25 mn pour la pâte de curry)

Par portion: 1 200 kJ/290 kcal

1 Lavez le poisson à l'eau froide, égouttez-le et coupez-le en morceaux d'environ 1 cm. Mélangez-le à 1 c. à s. de sauce de poisson et au poivre puis laissez-le mariner au réfrigérateur, pendant environ 10 minutes, dans un récipient couvert.

2 Pendant ce temps, lavez les feuilles de citron, égouttez-les, roulez-les dans le sens de la longueur et coupez-les en fines lamelles. Mélangez la viande hachée, la pâte de curry rouge et la crème épaisse qui flotte au-dessus du lait de coco. Ajoutez 3 c. à s. de sauce

de poisson, les œufs et les lamelles de feuilles de citron et mélangez à nouveau. Incorporez avec précaution les morceaux de poisson.

3 Nettoyez doucement les feuilles de bananier avec un tissu humide et coupez-les en 8 carrés de 20 cm de côté. Superposez les morceaux pour obtenir 4 ensembles de 2 feuilles. Répartissez le mélange au poisson au centre de ces tas de feuilles.

4 Préchauffez le four à 190 °C (th. 5-6) ou bien préparez des braises dans un barbecue et posez la grille dessus. Repliez 2 côtés des feuilles de bananier sur le mélange, de façon qu'elles se chevauchent sur le dessus, fixez-les avec un cure-dent, roulez les deux autres bords pour fermer les petits paquets et maintenez avec des cure-dents.

5 Placez les feuilles de bananier farcies sur la grille et laissez griller, soit à mi-hauteur du four pendant environ 20 minutes, soit sur le barbecue pendant environ 15 minutes, en les retournant de temps en temps — les feuilles de bananier peuvent, sans aucun problème, roussir complètement. Servez. Chaque convive ouvrira lui-même son petit paquet de feuilles de bananier dans son assiette.

Note: On trouve généralement des feuilles de bananier dans les magasins d'alimentation asiatique. Si vous n'en trouvez pas, remplacez-les par des feuilles de papier aluminium pliées en deux. Le poisson y perdra cependant la saveur typique que lui donne la feuille de bananier.

Soufflé de poisson

Plat de fête • Relevé   **Ho Mog Pla**

Pour 4 personnes:
200 g de chou blanc
5 feuilles de citron vert (p. 58)
½ poivron rouge
500 g de filets de dorade
4 gousses d'ail
½ c. à c. de poivre noir fraîchement moulu
3 c. à s. de pâte de curry rouge (p. 26)
40 cl de lait de coco non sucré
1 œuf
4 c. à s. de nam pla (sauce de poisson thaïlandaise)
2 feuilles de bananier
½ c. à s. de fécule

Temps de préparation: 1 h (+ 25 mn pour la pâte de curry + 20 mn de cuisson)

Par portion: 850 kJ/200 kcal

1 Placez un faitout rempli d'eau sur le feu. Nettoyez le chou et enlevez-en les parties dures. Coupez les feuilles en fines lamelles, lavez-les, faites-les blanchir dans l'eau bouillante (à gros bouillons) pendant environ 1 minute, puis égouttez-les dans une passoire.

2 Lavez les feuilles de citron vert, égouttez-les, pliez-les dans le sens de la longueur, puis coupez-les en fines lamelles. Lavez le demi-poivron, ôtez-en membranes et graines et coupez-le en fines lamelles. Passez les filets de poisson sous l'eau froide, épongez-les, réservez-en environ 100 g et coupez le reste en fines languettes d'environ 4 cm de long.

3 Pelez l'ail et pilez-le au mortier avec 100 g de filet de poisson et le poivre, jusqu'à obtention d'une crème. Ajoutez la pâte de curry rouge, mélangez et versez le tout dans un saladier. Réservez 4 c. à s. de la crème épaisse qui flotte à la surface du lait de coco et ajoutez le reste à la crème de poisson. Mixez le tout au mixeur, à faible vitesse, pendant environ 3 minutes.

4 Préchauffez le four à 180 °C (th. 5). Ajoutez l'œuf, la sauce de poisson et une bonne partie des feuilles de citron à la crème, puis mixez à nouveau pendant 1 minute. Ajoutez les filets de poisson sans les abîmer.

5 Nettoyez les feuilles de bananier, découpez-y 12 morceaux circulaires d'environ 15 cm de diamètre.

6 Dans chaque morceau faites quatre fentes d'environ 5 cm dirigées selon deux diamètres perpendiculaires.

7 Faites se chevaucher les bords des fentes sur 2 à 3 cm et maintenez-les ainsi à l'aide de cure-dents.

8 Garnissez les coupelles ainsi obtenues de chou blanc bien égoutté. Répartissez par-dessus la crème de poisson et laissez cuire à mi-hauteur du four pendant environ 20 minutes.

9 Pendant ce temps, mélangez progressivement à 4 c. à s. de la crème de coco que vous avez réservée la fécule et 4 c. à s. d'eau afin d'obtenir une pâte sans grumeaux que vous ferez chauffer dans une petite casserole en remuant constamment.

10 Sortez les coupelles de bananier du four, versez dedans le lait de coco épaissi, garnissez avec les dernières lamelles de feuilles de citron et les lamelles de poivron. Servez.

Variante: Vous pouvez remplacer la dorade par du cabillaud ou du saumon.

Crevettes aux asperges vertes

Bangkok • Rapide **Gung Pad Noh May Farang**

Pour 4 personnes:
600 g de crevettes crues entières,
de taille moyenne
4 c. à s. de nam pla (sauce de
poisson thaïlandaise)
½ c. à c. de poivre noir fraîchement
moulu
500 g d'asperges vertes
5 gousses d'ail
5 c. à s. d'huile végétale
3 c. à s. de sauce d'huîtres
(glossaire)
1 c. à s. de sucre
2 c. à s. de vin de riz

Temps de préparation: 30 mn

Par portion: 1 200 kJ/290 kcal

1 Détachez la tête des crevettes et décortiquez-les en leur laissant les écailles de la queue. Incisez-leur le dos dans le sens de la longueur pour en retirer le boyau noir, lavez-les et égouttez-les. Mélangez-les à 1 c. à s. de sauce de poisson et au poivre.

2 Faites bouillir de l'eau dans un faitout. Lavez les asperges, épluchez-les si nécessaire, enlevez-leur leur l'extrémité dure, coupez-les en tronçons d'environ 4 cm de long et faites-les blanchir à l'eau bouillante, puis sortez-les. Pelez l'ail et hachez-le menu.

3 Faites chauffer l'huile dans une poêle ou un wok, faites-y dorer l'ail, à feu vif, pendant environ 1 minute. Ajoutez les crevettes et laissez encore cuire à feu vif pendant 1 minute. Ajoutez les tronçons d'asperge, la sauce d'huîtres et 3 c. à s. de sauce de poisson, le sucre et le vin de riz. Laissez cuire pendant environ 2 minutes, en remuant constamment. Lorsque le fond devient trop épais, ajoutez un peu d'eau.

Note: Du fait de la chlorophylle qu'elles contiennent, les asperges vertes ont un goût plus soutenu que celui des asperges blanches et elles exigent un temps de cuisson plus court. Lorsqu'on les achète, il convient de vérifier que leur extrémité coupée est lisse et juteuse — ce qui signifie qu'elles sont très fraîches. Il n'est alors pas nécessaire de les éplucher: il suffit de leur enlever une mince pellicule.

Praires au basilic

Plat de fête • Non relevé **Hoy Lai Pad**

Pour 4 à 6 personnes:
2 kg de praires ou de palourdes
10 gousses d'ail
30 feuilles de bai horapha (basilic)
50 g de beurre
½ c. à c. de sel
1 feuille de bananier
1 branche de basilic

Temps de préparation: 20 mn
(+ 2 h de trempage)

Par portion (pour 6 personnes):
600 kJ/140 kcal

1 Jetez les praires qui sont ouvertes et laissez tremper les autres dans l'eau pendant environ 2 heures. Lavez-les soigneusement, ouvrez-les à l'aide d'un couteau pointu et jetez la coquille qui ne contient pas le mollusque.

2 Pelez l'ail et hachez-le menu. Lavez les feuilles de basilic, ainsi que la branche prévue pour la décoration, égouttez-les et réservez-les.

3 Faites fondre le beurre dans une grande poêle ou un wok. Ajoutez-y l'ail et faites-le dorer à feu moyen pendant près de 2 minutes. Montez le feu et ajoutez immédiatement les praires et les feuilles de basilic. Salez le tout.

Laissez cuire pendant environ 3 minutes en remuant constamment.

4 Lavez la feuille de bananier, taillez en morceaux et garnissez-en un grand plat. Disposez les praires par-dessus, garnissez avec la branche de basilic coupée en morceaux et servez chaud.

Note: Palourdes et praires ne doivent surtout pas cuire trop longtemps — certaines cuisinières se contentent de verser de l'eau bouillante sur les coques ouvertes. Les connaisseurs les apprécient crues, avec quelques gouttes de jus de limette *(voir glossaire)*. En Thaïlande, où le beurre est peu répandu, on cuisine plutôt à l'huile, mais, pour donner à ce plat particulier une saveur plus fine, c'est au beurre que les Thaïs le préparent.

125

Crabe au céleri

Plat de fête • Rapide Pu Pad Pong Garrieh

Pour 4 à 6 personnes:
800 g de bâtonnets de crabe surgelés
400 g de céleri en branche
8 gousses d'ail
5 c. à s. d'huile
1 c. à c. de poudre de curry
(glossaire)
3 c. à s. de nam pla (sauce de
poisson thaïlandaise)
1 c. à s. de sucre

Temps de préparation: 25 mn

Par portion (pour 6 personnes):
870 kJ/210 kcal

1 Faites décongeler les bâtonnets de crabe. Lavez les branches de céleri, ôtez-en les extrémités dures et coupez-les en morceaux. Coupez les plus gros bâtonnets de crabe en deux dans le sens de la longueur puis coupez-les tous en morceaux d'environ 4 cm.

2 Pelez l'ail et hachez-le menu. Faites chauffer l'huile dans une poêle ou un wok et faites-y dorer l'ail à feu moyen pendant environ 2 minutes. Ajoutez le crabe et laissez cuire à feu vif pendant environ 1 minute. Ajoutez le curry et mélangez intimement. Ajoutez le céleri, la sauce de poisson, le sucre et un peu d'eau, et braisez le tout pendant encore 2 minutes. Disposez sur un plat chaud et servez.

Note: Les Thaïs cuisinent selon cette recette les tourteaux vivants qu'on trouve sur tous les marchés du pays. Ils les dépècent vivants et font frire à la poêle tout ce qui a été sorti de la carapace, ainsi que les pinces et les pattes entières — que les convives suceront ensuite avec délice.

Crevettes à l'ail

Plat de fête • Un peu délicat Gung Krathiam Prig Thai

Pour 4 personnes:
12 grosses crevettes crues entières
10 gousses d'ail
2 c. à s. de nam pla (sauce de
poisson thaïlandaise)
½ c. à c. de poivre noir fraîchement
moulu
2 c. à s. de jus de limette (glossaire)
3 tomates moyennes
1 concombre
1 bouquet de ciboulette
50 g de beurre

Temps de préparation: 30 mn

Par portion: 880 kJ/210 kcal

1 Décortiquez les crevettes en leur laissant les écailles de la queue, incisez-leur légèrement le dos dans le sens de la longueur pour retirer le boyau noir, passez-les sous l'eau froide et faites-les bien égoutter.

2 Pelez l'ail et hachez-le menu. Mettez les crevettes dans un saladier, avec l'ail, la sauce de poisson, le poivre et le jus de limette. Laissez mariner près de 10 minutes.

3 Pendant ce temps, lavez les tomates et le concombre, retirez le pédoncule des tomates et coupez le tout en rondelles d'environ 0,5 cm d'épaisseur. Lavez la ciboulette, égouttez-la et émincez-la. Disposez les rondelles de concombre et de tomate sur un grand plat de service et mettez-le de côté.

4 Faites fondre le beurre, à feu moyen, dans une grande poêle ou un wok. Ajoutez les crevettes. Passez un fond d'eau dans le saladier où vous les avez laissées mariner et versez ce fond dans la poêle. Laissez cuire à feu moyen, sans couvercle, pendant environ 5 minutes.

5 Disposez les crevettes sur le plat de service et parsemez de ciboulette.

Variante: Cette recette convient parfaitement aux calmars: coupez en rondelles de 1 cm de large environ 600 g de calmars prêts à cuire, puis procédez comme avec les crevettes.

DESSERTS ET DOUCEURS

L a Thaïlande, pays tropical, offre une infinie variété de desserts exotiques (servis à la fin du repas). Ces douceurs n'ont pas pour seule vocation d'être l'agréable point d'orgue de la ronde des plats... Elles doivent aussi, le cas échéant, procurer l'apaisement aux palais enflammés par les épices ingurgitées pendant le repas. Le plus courant de ces dessert est une coupe débordante de fruits ciselés — papayes, mangues, longanes, litchis, ramboutans, etc. — dont la sélection est déterminée par la saison. Les mangues luisantes et odorantes — dont on trouve en Asie des douzaines de variétés — trônent sur les étals des marchés entre mars et juin. La saveur aigre-douce de leur chair s'harmonise délicieusement avec le riz gluant et la crème à la noix de coco pour donner un dessert tout à fait princier *(page 132)*. Les crèmes glacées sont également, depuis quelques années, très prisées en Thaïlande, surtout celle à la noix de coco. Dans les grandes villes, on trouve aujourd'hui tous les parfums de glaces possibles. En certaines grandes occasions, on sert encore des desserts traditionnels, souvent très sucrés, à base de tapioca, de jaune d'œuf et de lait de coco — le lait de coco est présent dans la plupart de ces entremets. Les Thaïs adorent enfin les gelées très colorées et les fruits frits — banane, ananas, etc. — que leur proposent les marchands ambulants.

Oranges confites

Un peu délicat • Alcoolisé

Som Loy Geo

Pour 4 personnes:
4 grosses oranges
100 g de sucre roux
12,5 cl de liqueur d'orange

Temps de préparation: 35 mn
(+ 12 h de repos)

Par portion: 980 kJ/230 kcal

1 Pelez les oranges à vif, au couteau. Coupez la pulpe du fruit en tranches d'environ 1 cm d'épaisseur, en enlevant les pépins au fur et à mesure.

2 Mélangez le sucre à environ 0,5 litre d'eau, dans une petite casserole, et laissez cuire sans couvercle, à feu moyen, en remuant de temps en temps, pendant environ 20 minutes, jusqu'à obtention d'un sirop épais. Puis retirez du feu et laissez refroidir.

3 Ajoutez les tranches d'orange et la liqueur d'orange à ce sirop, mélangez bien, versez le tout dans une jatte et laissez reposer toute une nuit (au minimum 12 heures) au réfrigérateur.

4 Avant de servir, rajoutez, si vous le jugez nécessaire au goût, un peu de liqueur d'orange.

Variante: Vous pouvez flamber ces oranges confites à la liqueur d'orange très concentrée — chauffée — ou les accompagner d'une glace à l'orange.

Note: Parsemez les oranges confites de quelques feuilles de menthe fraîche lavées. L'harmonie des saveurs et des couleurs en sera encore rehaussée.

Melon au lait de coco

Dessert de fête • Un peu délicat

Teng Thai Nam Gati

Pour 4 personnes:
1 melon d'Espagne ou 1 cantaloup
½ gousse de vanille
40 cl de lait de coco non sucré
5 c. à s. de sucre de palme ou, à défaut, de sucre roux

Temps de préparation: 20 mn
(+ 1 h pour refroidir)

Par portion: 560 kJ/130 kcal

1 Épluchez le melon, coupez-le en quatre, retirez les pépins à la cuiller. Coupez les quarts en dés et placez-les environ 1 heure au réfrigérateur.

2 Pendant ce temps, coupez la gousse de vanille dans le sens de la longueur. Grattez-en le contenu au couteau, mélangez-le au lait de coco et au sucre de palme et faites chauffer légèrement dans une casserole, en remuant, jusqu'à ce que le sucre soit dissous. Laissez un peu refroidir le mélange et mettez-le au réfrigérateur.

3 Versez les dés de melon refroidis dans un saladier et nappez-les du mélange à base de lait de coco.

Variantes:
• Vous pouvez mélanger au melon une petite boîte de grains de maïs bien rincés.
• Vous pouvez aussi couper le melon en deux sans l'éplucher puis en découper la pulpe en billes, à l'aide d'une cuiller parisienne (sans abîmer la peau), puis servir les billes de melon arrosées du mélange au lait de coco dans les deux demi-écorces placées dans une coupe contenant des glaçons. Décorez les billes de quelques feuilles de menthe lavées.

Mangue au riz gluant

Bangkok • Un peu long

Khao Niau Muun Mamuang

Pour 4 personnes:
100 g de riz gluant cru
20 cl de lait de coco non sucré
½ c. à c. de fécule
un peu de sel
3 c. à s. de sucre
2 mangues d'Asie ou, à défaut,
d'Amérique du Sud, bien mûres

Temps de préparation: 40 mn
(+ 12 h de repos)

Par portion: 820 kJ/200 kcal

1 Laissez ramollir le riz gluant environ 12 heures dans de l'eau froide. Laissez-le ensuite égoutter dans une passoire.

2 Mettez le riz égoutté dans un faitout et versez par-dessus suffisamment d'eau pour qu'elle le recouvre de 1 cm. Faites bouillir puis laissez cuire à couvert, pendant 20 minutes — l'eau doit être entièrement absorbée par le riz. Retirez le couvercle de la casserole et laissez refroidir.

3 Ramassez, à la surface du lait de coco, 2 c. à s. de la partie épaisse qui flotte et mettez-les dans une casserole. Ajoutez la fécule, une pincée de sel et 8 c. à s. d'eau puis remuez jusqu'à obtention d'une pâte lisse. Faites bouillir le mélange. Réservez-le.

4 Versez le reste du lait de coco dans une casserole, ajoutez 10 c. à s. d'eau et le sucre et faites rapidement bouillir. Retirez la casserole du feu. Ajoutez le riz gluant et mélangez intimement.

5 Épluchez les mangues au couteau pointu. Découpez délicatement la pulpe du noyau et coupez-la en tranches.

6 Disposez, dans 4 assiettes de taille moyenne, un peu de riz gluant et une demi-mangue en tranches. Nappez de sauce au lait de coco.

Note: Il faut absolument essayer de trouver des mangues d'Asie pour confectionner ce dessert — elles sont vraiment délicieuses. Sinon, des mangues d'Amérique feront l'affaire.

Boudins de manioc au sirop

Dessert de fête • Un peu long

Kanum Luamit

Pour 4 à 6 personnes:
300 g de farine de manioc
3 colorants alimentaires différents
(quelques gouttes de chaque)
500 g de sucre
1 gousse de vanille

Temps de préparation: 1 h 30
(+ 15 mn pour refroidir)

Par portion (pour 6 personnes):
1 900 kJ/450 kcal

1 Mettez 1 litre d'eau sur le feu. Répartissez la farine de manioc dans 3 bols. Prenez un des bols, prélevez-y 2 c. à s. de farine et mélangez-les à 2 c. à s. d'eau bouillante. Ajoutez l'un des colorants, incorporez, petit à petit, 6 autres c. à s. d'eau bouillante et mélangez soigneusement. Ajoutez le reste de la farine du bol et mélangez. Faites de même avec les deux autres bols et les deux autres colorants.

2 Prenez 1 c. à c. de l'une des pâtes ainsi obtenues et façonnez-la en un ruban de 5 à 6 cm de long puis en un petit boudin. Recommencez jusqu'à épuisement des trois pâtes. Mettez les boudins dans l'eau bouillante, chaque couleur bien séparée. Laissez-les cuire à feu moyen jusqu'à ce qu'ils remontent à la surface. Mettez de l'eau froide dans trois jattes. Sortez les boudins avec une écumoire et mettez-les immédiatement dans les trois jattes.

3 Faites frémir 40 cl d'eau additionnées du sucre dans une casserole, pendant environ 20 minutes. Ajoutez la gousse de vanille. Laissez refroidir.

4 Sortez les boudins de l'eau froide, laissez-les égoutter et placez-les sur un plat de service. Nappez-les de sirop de sucre et servez.

Crème de coco pochée

Sang Kaja Na Gati

Pour 4 ou 5 personnes:
10 œufs
40 cl de lait de coco non sucré
500 g de sucre de palme ou, à défaut, de sucre roux
16,5 cl de lait de coco non sucré
2 c. à s. de farine de riz
¼ de c. à c. de sel

Temps de préparation: 1 h 15
(+ 1 h de repos)

Par portion (pour 5 personnes):
2 100 kJ/500 kcal

1 Battez les œufs dans un saladier. Dans un autre récipient, mélangez les 40 cl de lait de coco et le sucre de palme jusqu'à obtention d'une crème épaisse. Ajoutez les œufs et mélangez doucement. Retirez avec précaution, à l'aide d'une cuiller, la mousse qui se forme à la surface (pour que la surface de la crème soit lisse), puis répartissez la crème de coco dans 4 ou 5 coupelles.

2 Préchauffez le four à 150 °C (th. 2). Placez les coupelles dans un grand plat à four. Versez de l'eau chaude dans le plat jusqu'à 1 cm au-dessous du bord des coupelles et placez-le à mi-hauteur du four. Faites cuire pendant environ 50 minutes, puis laissez refroidir.

3 Pendant ce temps, mélangez intimement les 16,5 cl de lait de coco, la farine de riz et le sel, faites bouillir le tout dans une petite casserole puis laissez mijoter, à feu moyen, pendant environ 2 minutes, en remuant constamment, jusqu'à obtention d'une crème. Laissez refroidir, remplissez de cette préparation une poche à douille en étoile et décorez la crème de coco. Servez la crème de coco tiède ou bien très fraîche.

Notes:
• Dans cette recette, l'œuf sert de liant: quand les œufs se solidifient, la crème de coco épaissit.
• Le bain-marie ne doit jamais bouillir, sinon la crème cloquerait.

La noix de coco

Les cocoteraies thaïlandaises sont gigantesques et les Thaïs font, en cuisine, un grand usage de la noix de coco. Ils en râpent la pulpe quand elle est mûre et la mélangent à l'eau contenue dans la noix pour obtenir le lait de coco qui entre dans la préparation de nombreux plats. En Europe, les noix de coco sont chères et il est difficile d'en extraire le lait; il est donc préférable d'acheter le lait de coco en boîte. Le stockage prolongé des boîtes provoque une décantation: une couche épaisse flotte à la surface d'un liquide plus clair — tous deux sont utilisés. On trouve les boîtes de lait de coco dans les magasins d'alimentation asiatique et dans certains supermarchés. Veillez à n'acheter que du lait de coco non sucré — le lait de coco sucré entre exclusivement dans la préparation de quelques desserts et boissons.

Les noix de coco germées donneront plus tard de jeunes palmiers.

Beignets de banane

Dessert de fête • Rapide

Gluei Tod

Pour 4 personnes:
2 grosses bananes
50 g de farine à tempura (glossaire)
1 c. à s. de sucre
sel
5 c. à s. de noix de coco râpée
1 c. à s. de graines de sésame claires
1 l d'huile végétale
4 c. à s. de miel liquide

Temps de préparation: 20 mn

Par portion: 2 100 kJ/500 kcal

1 Épluchez les bananes, coupez-les en deux dans le sens de la longueur, puis en deux perpendiculairement.

2 Mélangez la farine, 12,5 cl d'eau, le sucre et 1 pincée de sel, jusqu'à obtention d'une pâte épaisse et sans grumeaux. Ajoutez la noix de coco râpée et les graines de sésame et mélangez bien le tout.

3 Faites chauffer l'huile dans une bassine à friture. Elle est à bonne température quand une cuiller en bois plongée dedans provoque une remontée de bulles. Trempez les morceaux de banane dans la pâte, puis dans l'huile, à feu vif, pendant environ 2 minutes, jusqu'à ce qu'ils soient dorés.

4 Sortez les beignets à l'aide d'une écumoire, faites-les bien égoutter et posez-les sur du papier absorbant. Disposez-les sur un plat de service, nappez-les de miel et servez.

Note: Il est indispensable d'utiliser de la farine à tempura pour ce dessert — son goût est radicalement différent de celui des autres farines.

Riz gluant aux longanes

Nord de la Thaïlande • Un peu long

Khao Niau Piak Lamjai

Pour 4 personnes:
160 g de riz gluant cru
1 boîte de longanes en conserve
250 g de sucre
16,5 cl de lait de coco
½ c. à c. de sel

Temps de préparation: 50 mn
(+ 40 mn de pause)

Par portion: 1 900 kJ/450 kcal

1 Faites ramollir le riz gluant dans l'eau tiède pendant environ 40 minutes, puis égouttez-le dans un chinois. Égouttez les longanes et récupérez-en le jus dans un verre doseur. Ajoutez-lui de l'eau pour obtenir 70 cl de liquide.

2 Versez le riz gluant et le jus de longane dans un faitout, portez à ébullition puis laissez frémir pendant près de 30 minutes à feu moyen, jusqu'à épaississement du mélange.

3 Ajoutez les longanes et le sucre et mélangez bien le tout. Versez dans une jatte.

4 Salez le lait de coco et faites-le chauffer dans une petite casserole, puis versez-le sur le riz gluant aux longanes, qui aura tiédi entre-temps.

Variante: Vous pouvez remplacer les longanes par des grains de maïs en boîte bien rincés. N'utilisez alors pas le liquide de la boîte mais remplacez-le par 70 cl de l'eau de cuisson du riz.

Note: En Thaïlande, on récolte les longanes de juillet à septembre — courte période pendant laquelle on en trouve des frais dans les magasins d'alimentation asiatique. Si vous utilisez des fruits frais pour confectionner cette recette, vous devrez les éplucher, les épépiner et remplacer le sirop de la conserve par de l'eau.

Suggestions de menus

Vous trouverez ci-dessous quelques menus typiques particulièrement appréciés en Thaïlande. Les Thaïs aiment voir arriver sur leur table une très grande variété de plats différents — cela fait partie du *sanuk* («plaisir»). Il convient de disposer sur la table quantité de mets variés et, pour cela, d'inviter de nombreux convives. Il n'existe pas de protocole particulier quant à l'organisation d'un repas thaï. Les néophytes y voient en général un joyeux désordre. Une seule règle: on apporte tous les plats au même moment sur la table. Seuls les desserts sont servis à la fin du repas, quand les invités sont rassasiés de plats épicés. N'oubliez pas, en tout cas, que les Thaïs préfèrent offrir une table trop abondante que pas assez: le nombre et l'importance des plats sont donc calculés de façon qu'il y ait toujours des restes — le maître de maison craindrait autrement de paraître avare... le pire des défauts en Thaïlande! Vous ne trouverez pas ici de préceptes rigides quant à l'établissement de vos menus, mais seulement quelques suggestions qu'il ne faudra pas prendre au pied de la lettre... Inventez vos propres combinaisons, imaginez des variations sur les recettes proposées, faites tous les essais possibles... En un mot, découvrez le plaisir de jouer avec la vaste palette des saveurs de la cuisine thaïe!

Menus rapides

Soupe de poulet à la citronnelle	52
Riz aux fruits de mer	80
Beignets de banane	136
Soupe aux concombres farcis	61
Riz jaune au curry	82
Salade de papaye	92
Soupe poisson-lait de coco	57
Blanc de poulet au gingembre	101
Crevettes piquantes	46
Filet de porc à l'ananas	74
Bœuf au poivre vert	66

Bœuf à la sauce d'huîtres	64
Crevettes aux asperges vertes	124
Poulet au curry	105

Déjeuners légers

Pâtés impériaux	40
Riz aux fruits de mer	80
Coupe de fruits*	
Crevettes frites	50
Soupe de nouilles à la viande	54
Pâtés impériaux	40
Riz jaune au curry	82
Blanc de poulet sur lit de salade	48
Poule au gingembre	106
Riz thaïlandais parfumé	82
Galettes de riz fourrées	45
Riz aux crevettes	78
Melon au lait de coco	130
Brochettes au saté	73
Nouilles chinoises sautées	85
Boulettes de viande à l'ananas	42
Nouilles de riz sautées	87
Crevettes piquantes	46
Soupe de nouilles à la viande	54
Coupe de fruits*	
Galettes de riz fourrées	45
Nouilles de riz au calmar	84

Menus faciles à préparer

Curry des trois amis	78
Blanc de poulet au sésame	109
Canard rôti	111
Riz thaïlandais parfumé	82
Bœuf au curry vert	70
Crevettes aux asperges vertes	124
Salade de poulet pimentée	90
Boulettes à l'aigre-doux	75

Riz thaïlandais parfumé	82
Oranges confites	130
Poulet au curry	105
Filet de porc à l'ananas	74
Poule au gingembre	106
Légumes poêlés	94
Riz thaïlandais parfumé	82
Crème de coco pochée	134

Menus pour 6 à 8 personnes

Bœuf au curry vert	70
Blanc de poulet au sésame	109
Crevettes frites	50
Riz thaïlandais parfumé	82
Filet de porc à l'ananas	74
Bœuf à la sauce d'huîtres	64
Poulet au curry	105
Riz thaïlandais parfumé	82
Crevettes piquantes	46
Soupe poisson-lait de coco	57
Boulettes à l'aigre-doux	75
Bœuf aux haricots verts	67
Riz thaïlandais parfumé	82
Riz gluant aux longanes	136
Canard au curry rouge	111
Boulettes à l'aigre-doux	75
Légumes poêlés	94
Riz thaïlandais parfumé	82
Coupe de fruits *	
Sauce piquante aux crevettes	37
Légumes variés avec leur sauce	96
Crevettes à l'ail	126
Soupe aux concombres farcis	61
Riz thaïlandais parfumé	82
Beignets de banane	136

Menus familiaux
(environ 6 personnes)

Salade de poulet pimentée	90
Filets de sole à la limette	117
Riz thaïlandais parfumé	82

Bœuf au curry jaune	68
Crevettes aux asperges vertes	124
Poisson en feuilles de bananier	121
Riz thaïlandais parfumé	82
Coupe de fruits*	
Soupe de poulet à la citronnelle	52
Bouillie de crevettes	35
Légumes variés avec leur sauce	96
Riz thaïlandais parfumé	82
Poulet au curry	105
Crabe au céleri	126
Blanc de poulet aigre-doux	102
Riz thaïlandais parfumé	82
Melon au lait de coco	130
Curry des trois amis	78
Blanc de poulet à l'ananas	100
Crevettes à l'ail	126
Riz thaïlandais parfumé	82

Menus de fête
(10 à 15 personnes)

Salade de poulet pimentée	90
Soupe au bœuf pimentée	58
Crevettes aux asperges vertes	124
Crabe au céleri	126
Riz thaïlandais parfumé	82
Mangue au riz gluant	132
Filets de sole à la limette	117
Blanc de poulet à l'ananas	100
Bœuf à la sauce d'huîtres	64
Porc aux pousses de bambou	77
Riz thaïlandais parfumé	82
Soupe de poulet à la citronnelle	52
Boulettes à l'aigre-doux	75
Bœuf aux haricots verts	67
Crevettes à l'ail	126
Riz thaïlandais parfumé	82
Bœuf au curry	64
Blanc de poulet aigre-doux	102
Filet de porc à l'ananas	74
Légumes poêlés	94
Riz thaïlandais parfumé	82
Oranges confites	130

Salade de bœuf à la coriandre	89
Légumes poêlés	94
Blanc de poulet à l'ananas	100
Bœuf au curry jaune	68
Riz thaïlandais parfumé	82
Salade au bœuf haché	88
Soupe poisson-lait de coco	57
Poulet au lait de coco	105
Blanc de poulet à l'ananas	100
Riz thaïlandais parfumé	82
Coupe de fruits*	
Crevettes frites	50
Bœuf au poivre vert	66
Poulet au maïs	108
Filet de porc à l'ananas	74
Riz thaïlandais parfumé	82
Soupe de poulet à la citronnelle	52
Bœuf à la sauce d'huîtres	64
Bœuf aux haricots verts	67
Truite grillée	116
Riz thaïlandais parfumé	82
Melon au lait de coco	130

Menus de fête
pour les occasions particulières
(10 à 15 personnes)

Crevettes frites	50
Porc aux pousses de bambou	77
Blanc de poulet à l'ananas	100
Poisson en feuilles de bananier	121
Légumes poêlés	94
Riz thaïlandais parfumé	82
Beignets de banane	136
Crevettes à l'ail	126
Bœuf au curry	64
Truite grillée	116
Légumes poêlés	94
Riz thaïlandais parfumé	82
Riz gluant aux longanes	136
Bœuf au curry vert	70
Canard au tamarin	112
Poisson en feuilles de bananier	121
Riz thaïlandais parfumé	82
Oranges confites	130

Galettes de riz fourrées	45
Soupe piquante aux crevettes	56
Bœuf au curry	64
Poule au gingembre	106
Filet de porc à l'ananas	74
Riz thaïlandais parfumé	82
Oranges confites	130

Buffet thaïlandais

Les Thaïs adorent faire la fête et la font le plus souvent possible, avec le plus grand nombre d'invités possible. Comme ces fêtes durent généralement de nombreuses heures, voire des journées entières, c'est l'occasion de confectionner de somptueux buffets composés de plats variés dont les saveurs, les couleurs et les décors sont un régal pour les sens. Les plats sont chauds, froids, épicés, aigres-doux, parfumés à la noix de coco, etc., et les desserts souvent très sucrés.

Pâtés impériaux	40
Galettes de riz fourrées	45
Crevettes piquantes	46
Salade de poulet pimentée	90
Salade de bœuf à la coriandre	89
Salade de calmar	90
Soupe poisson-lait de coco	57
Soupe au bœuf pimentée	58
Soupe de poulet à la citronnelle	52
Bœuf à la sauce d'huîtres	64
Bœuf au curry vert	70
Poulet au curry	105
Bœuf au curry	64
Canard rôti	111
Blanc de poulet à l'ananas	100
Crevettes aux asperges vertes	124
Crevettes à l'ail	126
Oranges confites	130
Melon au lait de coco	130
Boudins de manioc au sirop	132
Beignets de banane	136

* Les recettes des plats signalés par un astérisque ne figurent pas dans cet ouvrage: ce sont soit de simples ingrédients, soit des plats tout prêts faciles à trouver dans le commerce.

Glossaire

Ail: Il est utilisé avec prodigalité dans la cuisine thaïe. L'ail thaïlandais est plus petit et plus doux que l'ail européen, mais le nôtre le remplace sans problèmes.

Ananas: Voir encadré page 43.

Aubergine: Il existe en Thaïlande divers types d'aubergines, depuis les toutes petites, qui ressemblent à des haricots verts et sont intégrées, entières, aux plats en fin de préparation, jusqu'à la variété violette que nous connaissons en Europe, en passant par les *makua plo*, blanches, jaunes ou vertes, de la taille d'une balle de ping-pong, qui sont coupées en deux ou quatre avant la cuisson.

Basilic: Voir encadré page 71.

Basilic horapha: Le basilic le plus utilisé en Thaïlande.

Cacahuète: Fruit de l'arachide, une plante originaire du Brésil qui s'élève à 70 cm du sol et dont les graines se forment sous terre. Les Thaïs les utilisent grillées et salées comme ingrédient dans certains plats.

Champignons chinois: Les tongkus et les shiitakés sont des champignons aromatiques de couleur brune, entrant, frais ou séchés, dans la composition de nombreux mets thaïs. Les champignons séchés, qu'on trouve dans certaines soupes, doivent être mis à gonfler dans l'eau avant utilisation.

Ciboule: Ce cousin de l'oignon possède un bulbe dont le diamètre ne dépasse pas 4 cm. On en consomme le bulbe et la tige.

Citron vert: Ce citron donne peu de jus. On utilise surtout son écorce et ses feuilles. Voir Feuilles de citron vert et Limette.

Citronnelle: Voir encadré page 58.

Coriandre: Voir encadré page 47.

Crevette: Voir Pâte de crevettes.

Cumin: Plante aromatique dont les graines oblongues ont une saveur chaude, piquante et un peu âcre. On la confond souvent avec le carvi, mais les saveurs de ces deux épices sont très différentes: elles ne sont pas interchangeables. Utilisez de préférence du cumin en grains que vous moudrez au dernier moment, il conservera mieux son arôme.

Curry: Voir Pâte de curry et Poudre de curry.

Dourian: Fruit à écorce piquante, que les Thaïs appellent «reine des fruits» et qui dégage une odeur rappelant celle du fromage — n'est pas apprécié de tous...

Échalote: L'échalote est une variété d'oignon, petite et souvent rougeâtre, mais plus délicate et plus douce que l'oignon commun. On peut cependant remplacer l'une par l'autre.

Épis de maïs: On les cuit au wok, soit entiers, soit coupés en deux dans le sens de la longueur. N'utilisez que des épis frais, ceux au vinaigre sont trop acides.

Farine de maïs: Produit de la mouture du maïs. Sert, entre autres, à lier les sauces.

Farine de riz: Farine issue du broyage de brisures de grains de riz. Elle sert essentiellement à lier les sauces mais peut aussi remplacer la farine de maïs.

Farine à tempura: C'est une farine à forte teneur en fécule, qui ressemble à de la fécule de pomme de terre. Mélangée à de l'eau, elle sert à épaissir les sauces. Elle entre aussi dans la préparation des beignets de fruits. Voir Tempura.

Feuilles de bananier: En Thaïlande, on fait cuire certains ingrédients — dont le poisson — dans des feuilles de bananier qui leur donnent une saveur particulière. On trouve des feuilles fraîches dans les magasins asiatiques.

Feuilles de citron vert: Ces feuilles de citronnier, dont l'arôme intense est dû à une forte teneur en acide érythorbique, sont indispensables à la préparation des pâtes de curry. Voir encadré page 58.

Galanga: Voir encadré page 52.

Germes de soja: Constitués de la graine et de la tige du soja, ces germes, à haute teneur en vitamines C, conservent toutes leurs propriétés si on prend soin de ne les ajouter à la préparation qu'au dernier moment et de ne pas les faire cuire trop longtemps.

Gingembre: Les rhizomes de gingembre entrent dans la préparation de nombreux plats et desserts thaïlandais. Leurs vertus digestives sont connues. Le gingembre frais se reconnaît à ses racines fermes et sans rides. Dans un torchon humide placé dans le casier à légumes du réfrigérateur ou recouvert de sable humide, il se conserve un certain temps.

Goyave: Fruit que les Thaïs consomment en général vert, entre les repas, après l'avoir trempés dans du sel ou du sucre.

Graines de sésame: Les graines de sésame décortiquées ne répandent leur arôme que lorsqu'elles sont grillées (sans huile) — elles brûlent facilement, alors remuez sans cesse la poêle.

Haricots verts chinois: Ils ressemblent à de très longs haricots verts qui peuvent atteindre 90 cm de long. Pour décorer certains de leurs plats, les Thaïs en font de gros nœuds. Peuvent être remplacés par les haricots verts.

Huile: Pour leurs fritures, les Thaïs utilisent les huiles d'arachide, de soja et de coco. L'huile d'olive, par exemple, est trop parfumée pour leur cuisine.

Huile de sésame: Huile très parfumée extraite de graines de sésame grillées.

Krachaï: Sorte de gingembre thaïlandais, à racines fines et oblongues, utilisé dans certaines recettes de poisson. Plus doux que le gingembre et le galanga.

Limette: Ce petit fruit à la fine écorce verte est un ingrédient très utilisé dans la cuisine thaïlandaise. Plus parfumé et plus doux que le citron, il donne aussi deux fois plus de jus. Peut éventuellement être remplacé par du citron.

Longane: Ce fruit de la taille d'une noix, dont le goût rappelle celui du litchi, pousse essentiellement dans la région de Chiang-mai. En Europe, il est difficile de le trouver frais, mais on en trouve en conserve.

Maïs: Voir Farine de maïs et Épis de maïs.

Mangoustan: Ces baies à l'écorce allant du pourpre au violet et à la pulpe d'un blanc de neige, essentiellement cultivées dans le Sud de la Thaïlande, possèdent une très agréable saveur aigre-douce.

Mangue: Les mangues thaïlandaises sont parmi les meilleures au monde. Quand elles sont vertes, on les met dans les salades; mûres, elles entrent dans la composition de nombreux desserts.

Mékong: Alcool de riz bon marché que, en Thaïlande, on boit allongé d'eau gazeusz.

Nam pla: Sauce brune, à base de poisson, de crevettes et de sel ayant fermenté au moins un an en tonneau — plus le séjour est long, meilleure est la sauce. Il remplace le sel dans les plats thaïs. C'est aussi l'ingrédient de certaines sauces épicées.

Noix de cajou: Fruit de l'anacardier, cette noix à la saveur douce a la forme d'un haricot. Elle doit être ouverte et pelée avant utilisation. Pour la cuisine, prenez des noix de cajou non salées.

Noix de coco: Voir encadré page 135.

Nouilles chinoises: Pâtes faites de farine de blé et d'œufs, ayant la forme de fins spaghetti. Les cuisinières thaïlandaises les mettent dans les soupes ou les font sauter à la poêle.

Nouilles de riz: Pâtes plates à base de farine de riz.

Papaye: Voir encadré page 93.

Papier de riz: Fines feuilles de pâte, de couleur jaune clair, faites de farine de riz, que l'on trouve généralement surgelées. Pour qu'elles restent bien fraîches, il convient de ne les décongeler et de ne les détacher que juste avant de les utiliser. On peut resurgeler celles qui restent.

Pâte de crevettes: On en trouve de toutes sortes de consistances — du mou au dur — et de couleurs — l'éventail va du rose au brun. La pâte de crevettes, à odeur très forte, doit être conservée dans un récipient fermé hermétiquement.

Pâte à wan-tang: Pâte toute prête, en cubes, que l'on trouve surgelée dans les magasins asiatiques et qui entre dans la préparation des farces, pour les soupes et les entrées.

Pâte de curry: Pâte épicée qui constitue la base de nombreux plats thaïlandais. Voir pages 26 à 28.

Persil chinois: Coriandre.

Piment: Plus petit, plus fin et beaucoup plus fort (en raison de la capsicine qu'il contient) que le poivron, le piment compte un grand nombre d'espèces plus ou moins piquantes et parfumées. Il se consomme frais, séché ou en poudre. En fait, la plus grande partie des piments cultivés dans le monde sont séchés puis moulus — le feu de la poudre de piment fraîche est terrible mais il diminue au fil du temps, tandis que l'intensité du rouge de la poudre diminue. La sauce au piment, faite de piments, de sucre et de vinaigre, est utilisée pour accompagner ou relever les plats. Voir encadré page 31.

Poivre: Fruit du poivrier, une liane originaire de l'Inde, dont il existe, dans les forêts tropicales, des centaines d'espèces, qui peut atteindre 15 m et dont les fleurs donnent des grappes de 20 à 30 baies, d'abord vertes, puis rouge clair et enfin brunes. Cueillis mûrs, les grains de poivre sont blancs. Mais on peut aussi les cueillir verts (ils sont alors peu piquants mais très parfumés). Les grains noirs (très piquants) sont des grains verts séchés. Le poivre blanc est du poivre vert auquel on a ôté sa coque.

Pomelo: Pamplemousse thaïlandais au goût plus doux qu'acide. Sa pulpe, très juteuse, va du jaune au rouge.

Poudre de curry: Mélange sec épicé qui peut contenir jusqu'à 20 épices différentes: curcuma, poivre de Cayenne, gingembre, cumin, cannelle, clou de girofle, etc. Elle fut introduite en Thaïlande par les Indiens.

Pousses de bambou: Voir encadré page 77.

Ramboutan: Fruit à écorce rouge vif garnie de piquants. Sa chair ressemble à celle du litchi et du longane. Son goût fait penser au raisin. Il se conserve mal.

Riz: Voir encadré page 81. Voir aussi Farine de riz, Papier de riz et Vin de riz.

Sauce au piment: Voir Piment.

Sauce de soja: En Thaïlande, on utilise plutôt la sauce de soja claire (sii iuh khao), d'un brun léger, qui n'altère pas la couleur des aliments. La sauce de soja foncée (sii iuh damm), au goût plus prononcé, contient beaucoup de sucre.

Sauce d'huîtres: La sauce d'huîtres brune (nam manhoy), fabriquée à partir d'huîtres et de poissons fermentés, additionnés de sauce de soja et d'épices, est relativement épaisse. Elle sert, le plus souvent, à relever des plats, parfois, aussi, de condiment.

Sésame: Voir Graines de sésame, Huile et Huile de sésame.

Shiitakés: Voir Champignons chinois.

Soja: Voir Germes de soja et Sauce de soja.

Tamarin: Voir encadré page 113.

Tapioca: Fécule fabriquée à partir de l'amidon des tubercules de différentes plantes tropicales dont, essentiellement, les racines de manioc.

Tempura: Technique de cuisson des beignets. Voir aussi Farine à tempura et Huile.

Tofu: Le tofu est un produit végétal fabriqué à partir du soja. Il en existe plusieurs sortes en Thaïlande, dont une qui se présente comme un lait caillé épais fermenté (salé ou non salé).

Tongkus: Voir Champignons chinois.

Vermicelles transparents: Vermicelles très fins fabriqués à base de farine de haricots de soja. Il faut les laisser gonfler environ 10 minutes dans l'eau chaude avant de les utiliser.

Vin de riz: Vin de riz japonais qui entre dans les préparations culinaires ou se boit chaud dans des bols en porcelaine. Dans la cuisine, il peut être remplacé par du xérès.

Vinaigre: Les Thaïlandais utilisent de préférence du vinaigre de riz, moins acide que le vinaigre de vin. À défaut de vinaigre de riz, vous pouvez utiliser du vinaigre de cidre, un vinaigre doux, style vinaigre balsamique italien, ou de très petites quantités de vinaigre de vin.

Abréviations:
c. à c. = cuillerée à café
c. à s. = cuillerée à soupe
kcal = kilocalorie
kJ = kilojoule

Index des recettes

Les mots en italique font référence non pas à des recettes, mais à deschapitres

Couverture: Pour accompagner cette soupe poisson-lait de coco *(page 57)* — décorée de feuilles de coriandre et de fines rondelles de piment — et ces délicieuses crevettes piquantes *(page 46)* — marinées à la sauce de soja au poivre puis sautées à la poêle et servies avec une sauce de poisson relevée au piment, à la coriandre fraiche, à l'ail, au sucre et au jus de limette —, un bol de riz thaïlandais parfumé *(page 82)* s'impose!

ÉDITIONS TIME-LIFE

ÉDITIONS TIME-LIFE

LES GRANDES TRADITIONS CULINAIRES
FRANCE

ÉDITION FRANÇAISE
Direction: Dominique Aubert
Composition: John Booly, Paulette Poussin
Conseiller technique: Michael A. Barnes

Traduit de l'allemand par Rebecca Bernard

Titre original: *Küchen der Welt — Thailand*
Une publication Gräfe und Unzer Verlag
GmbH, Munich
© 1994 Gräfe und Unzer Verlag GmbH,
Munich

Publié en français par Time-Life Books B.V.,
Amsterdam
Authorized French language edition
© 1994 Time-Life Books B.V.
First French printing 1994

TIME-LIFE is a trademark of Time Warner
Inc. U.S.A.

Photogravure par Fotolito Longo, Bolzano, Italie
Photocomposition par Tallon Type & Prepress, Bruxelles, Belgique
Impression et reliure par Mondadori, Vérone, Italie
Dépôt légal: mars 1994

30 29 28 27 26 25 24 23 22 21 20 19 18 17 16 15 14 13 12 11 10 9 8 7 6 5 4 3 2 1

GRÄFE UND UNZER

ÉDITEURS: Stephanie von Werz-Kovacs,
Birgit Rademacker
Secrétariat d'édition: Katharina Lisson
Les recettes ont été testées par:
Marianne Obermayr, Doris Leitner
Maquette: Konstantin Kern
Styliste: Duan Osbar
Fabrication: BuchHaus Kraxenberger,
Gigler GmbH
Cartographie: Huber, Munich

Thidavadee Camsong, l'auteur, est née en 1963, à Ratchaburi, en Thaïlande, où sa mère, qui avait un restaurant, lui a transmis les traditions culinaires de son pays. Après des études de marketing à la célèbre École de Commerce du Siam de Bangkok, elle a été chef des ventes d'une agence de voyages de Bangkok puis, en 1989, mariée à un Allemand, s'est installée en RFA où elle enseigne la cuisine thaïlandaise. Elle retourne régulièrement dans son pays pour y suivre les cours de cuisine de l'Oriental Hotel de Bangkok. Thidavadee Camsong joue du khim, instrument de musique classique très présent dans les fêtes thaïlandaises.

Foodphotography Eising, l'agence de photos culinaires, utilisent toujours, pour réaliser leurs photos, des ingrédients de première qualité. Peter A. Eising et Susanne Eising ont pour principaux clients des agences de publicité, des industries alimentaires, diverses revues et des maisons d'édition spécialisées dans la cuisine. À leur studio de photo est attaché une agence implantée en Suisse mais dont le siège est à Munich. Martina Görlach travaille avec eux à la réalisation des photos.

Helke Czygan, l'illustratrice, a étudié la langue et la civilisation chinoises pendant quatre ans et a passé de longs mois en Chine. Elle a suivi, à Munich, une formation de graphiste et de designer. Elle est, aujourd'hui, illustratrice et graphiste dans une grande maison d'édition à Munich. Les illustrations de cet ouvrage ont été réalisées à l'encre de Chine colorée.

Sources de illustrations

Dessins en couleur: Heike Czygan

Toutes les prises de vue de cet ouvrage ont été réalisées par Foodphotography Eising, sauf celles dont les pages sont mentionnées ci-dessous:

Couverture: Graham Kirk, Londres.
4-5: à gauche au centre, et en bas à droite: Peter Lüffe, Bobingen; toutes les autres: Martin Thomas, Aachen-Alt Lemiers.
8-9: Martin Thomas, Aachen-Alt Lemiers.
10, 11 et 12: Martin Thomas, Aachen-Alt Lemiers.
13: en haut: Peter Lüffe, Bobingen; en bas: Martin Thomas, Aachen-Alt Lemiers.
14: en haut: Martin Thomas, Aachen-Alt Lemiers; en bas: Peter Lüffe, Bobingen.
15 et 16: Martin Thomas, Aachen-Alt Lemiers.
17: en haut: T. Stankiewitz, Munich; en bas: Martin Thomas, Aachen-Alt Lemiers.
18 et 19: Martin Thomas, Aachen-Alt Lemiers.
20: en haut: Hermann Rademacker, Munich; au centre et en bas: Peter Lüffe, Bobingen.
21: en haut: Lahr S. / Bildagentur J. Dziembballa, Munich; en bas: Hermann Rademacker, Munich.
22: T. Stankiewitz, Munich.
23: en haut: Martin Thomas, Aachen-Alt Lemiers; en bas: Hermann Rademacker, Munich.
31, 33 et 43: Martin Thomas, Aachen-Alt Lemiers.
47: Bildagentur Eising, Munich.
52: Peter Lüffe, Bobingen.
58: Martin Thomas, Aachen-Alt Lemiers.
72: Bildagentur Eising, Munich.
77: Peter Lüffe, Bobingen.
81 et 93: Martin Thomas, Aachen-Alt Lemiers.
97: Peter Lüffe, Bobingen.
113: Bildagentur Eising, Munich.
135: Imhof S. / Bildagentur J. Dziembballa, Munich.

Photos sans légendes
Pages 4-5, dans le sens contraire des aiguilles d'une montre, en partant du haut, à gauche: jeunes moines de Bangkok; bourgeons de lotus; rangée de bouddhas du Wat Mahathat, à Bangkok; cérémonie de mariage thaïe; fleurs et feuilles de lotus flottant sur une rizière; Mat Hua Wang; tête de dragon défilant au cours d'une cérémonie au Wat Kukut, à Lamphun.
Pages 8-9: le marché flottant le plus animé de Thaïlande, sur le *klong* Damanoen Saduak.